【口絵1】ルーベンス《戦争の結果》

【口絵2】ボッティチェッリ《ウェヌスとマルス》

【口絵3】ドラクロワ《キオス島の虐殺》

【口絵4】アンリ・ルソー《戦争》

【口絵5】ヴァシーリー・ヴェレシチャーギン《戦争の神格化》

【口絵6】ヴァシーリー・ヴェレシチャーギン《敗北、パニヒダ》

【口絵7】ヴァシーリー・ヴェレシチャーギン《戦争捕虜の道》

【口絵8】オットー・ディクス《戦争》

【口絵9】ジョージ・グロス《社会の柱》

【口絵10】マックス・ベックマン《夜》

【口絵11】アルビン・エッガー=リエンツ《フィナーレ》

【口絵12】ポール・ナッシュ《われわれは新しい世界を創造している》

【口絵13】クリストファー・ネヴィンソン《勝利の道のり》

【口絵14】ウィリアム・オーペン《ゾンネベーケ》

【口絵15】ジョルジュ・ルルー《地獄》

【口絵16】ヴァロットン《マイイ基地のセネガル歩兵たち》

【口絵 17】マックス・ベックマン《鳥の地獄》

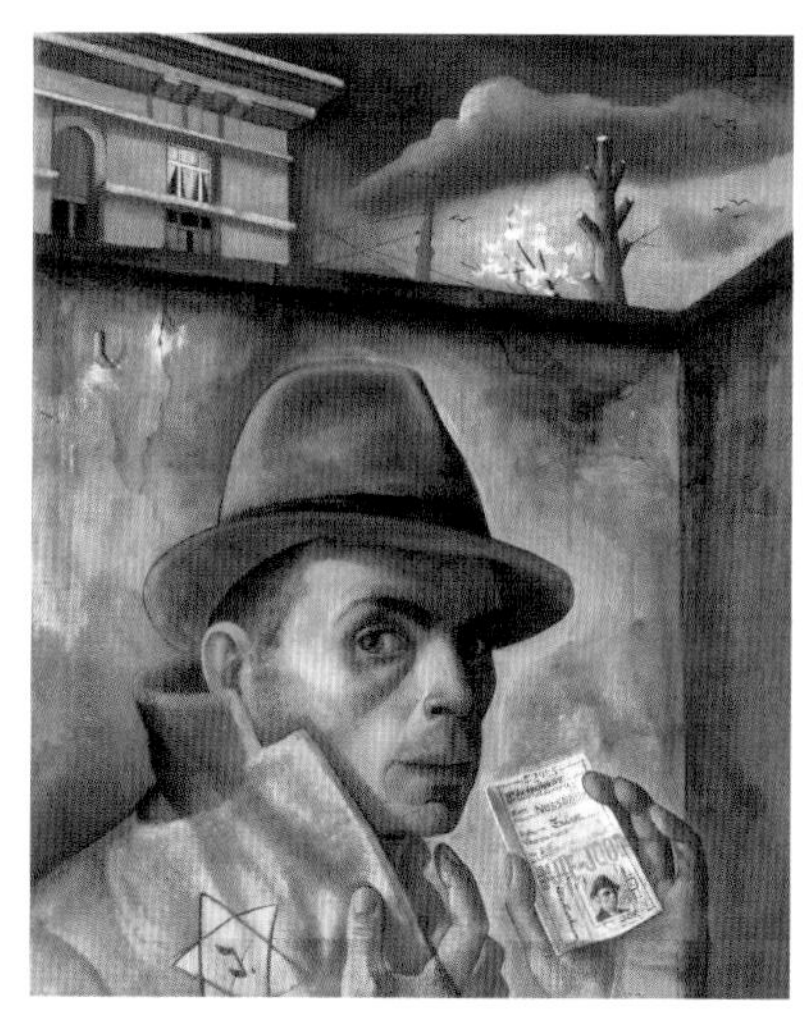

【口絵18】ヌスバウム《ユダヤ人の身分証をもつ自画像》

【口絵19】ヌスバウム《死の勝利》

【口絵20】カール・ロベルト・ボデク《春の日》

【口絵21】ポール・ナッシュ《死の海》

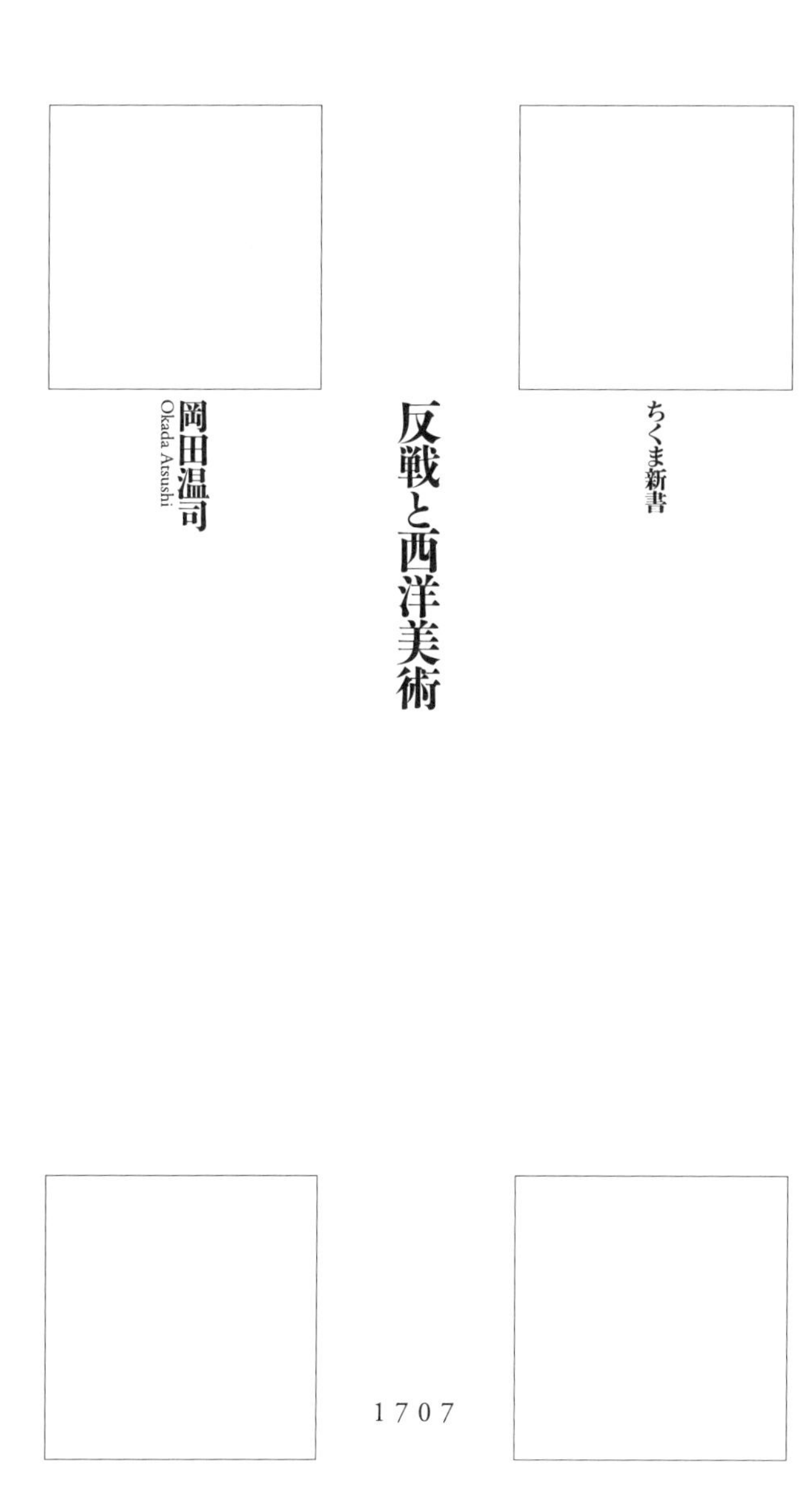

ちくま新書

反戦と西洋美術

岡田温司
Okada Atsushi

1707

反戦と西洋美術【目次】

はじめに

　戦争とは、つまるところ人間同士の殺し合いである。もちろん、人生において、人には誰でも戦わなければならないことはあるし、また何度かそういうときもくるだろう。だが、それは暴力によってではないし、ましてや殺し合いによってではないはずだ。人と人とのあいだと、国と国とのあいだとは、まったく別次元の問題だ、という反論があるかもしれない。

　とはいえ、国と国とのあいだにせよ、また（内戦の場合には）ある集団と別の集団とのあいだにせよ、どんな理屈や口実が立つにしても、人と人とが殺し合うことに変わりはない。いかに情報戦へ、ハイブリッド戦へと変貌しようとも、相手を倒すという目的は変わらない。そして、いつも最初に犠牲になるのは、たいてい名もなき人たちである。人を殺めてまで守らなければならない大義名分なるものが、そもそもこの世にあるというのだろうか。

二〇世紀の度重なる戦争によって、とりわけアウシュヴィッツとヒロシマ・ナガサキによって、いったい人は何を学んできたのだろうか。ロシアによるウクライナ侵攻のニュースをほとんど毎日のように目の当たりにするにつけて、そんな疑問が頭をよぎらないではいない。

こうした状況のなか、とりわけ西洋の美術は反戦への思いをどのように表現してきたのだろうか。それを改めて振り返ってみたいという素朴な動機から生まれたのが、このごくささやかな本である。対象を西洋美術に限ったのは、筆者の専門がそこにあるからである。

戦争と美術という大きなテーマに関しては、日本を題材にしたものを含めると、これまでにも比較的多くの書物や展覧会カタログ等が出版されてきた。とはいえ、反戦に照準を合わせたものは、むしろ少ないように思われる。

小著は基本的に時間軸に沿うかたちで、四つの章からなっている。順にまず第1章では、戦争の悲惨さがはっきりと画面の上で取り上げられるようになった一七世紀にさかのぼり、さらに帝国主義と植民地主義の台頭のなかで殺戮がくりかえされた一八・一九世紀に目を向ける。当事国である、英、仏、独、露、米などから多彩な証言が得られることだろう。

つづく第2章は、史上初の総力戦と呼ばれる第一次世界大戦が対象となる。時はいみじくも、未来主義（フトゥリズモ）やキュビズムなど、さまざまな前衛芸術運動（アヴァンギャルド）が西洋で相次いで勃興しつつあったころで、こうした事情が反戦の美術にいかなる影響を与えているかが、この章の中心テーマとなるだろう。

第3章が扱うのは、言うまでもなく第二次世界大戦である。とはいえ、時代が全体主義へと突き進む一九二〇・三〇年代に、画家たちがその作品でいかに敏感に反応していたのかについても無視することはできない。そしてもちろん、アウシュヴィッツと美術との、いまだ知られざるさまざまな関係についても。収容所で命を落とした画家たちも少なくはないのだ。

最後に第4章では、主にベトナム戦争をめぐる反戦アートが取り上げられる。とりわけ第二次世界大戦後、モダニズムからポストモダンの流れのなかで、アート概念は著しい広がりを見せるが、それを反映してこの章では、絵画や版画などといった既存のジャンルよりもむしろ、パフォーマンスやインスタレーションに重心が置かれることになる。さらに、アウシュヴィッツをめぐるトラウマ的な記憶が、アートの不可避のテーマとなっていく経緯についても触れておきたい。

また、小著のテーマにとって無視できないのは、一九世紀半ばに登場する写真で、反戦の表象というわたしたちの問題系に写真がどのようにかかわってくるかに関して、とりわけ第1章と第4章においてできるだけ簡潔にまとめておきたいと考えた。というのも、写真の登場とほぼ時を同じくして、カメラが戦場に持ち込まれるようになったのであり（第1章）、さらに、フォト・ジャーナリズムの全盛期とも重なるベトナム戦争の時代に、写真（ないし映像）の倫理的で感性的で政治的な役割をめぐって、今日までつづく活発な議論の火ぶたが切られたからである（第4章）。

反戦の美術とひとことにいっても、もちろん、けっして一義的なものではありえないのはいうまでもない。戦争にたいする嫌悪、抵抗、厭戦、幻滅、不条理、恐怖、そして平和への願いや訴えなど、さまざまに微妙なニュアンスの違いがそこにはありうるだろう。そしてさらに、ひとつのイメージのなかで、これらのいくつかが同時に重なり合うこともあるに違いない。

しかも、芸術は基本的にプロパガンダやアジテーションではないので、たとえばトラウマ的な描写が、ある種のあいまいさを帯びてくるのは避けられないかもしれない。つまり、戦争の悲惨さと残酷さをアピールするように見えて、場合によっては、むしろ敵対心を煽るという逆の効果を引き起こすことも考えられるのである。各章では、そうしたあいまいさにもできるだけ目をつむることのないよう心掛けた。

それでは、これからしばらくのあいだ読者の皆さんには、筆者がその独断と好みで集めてきた架空の反戦美術館にお付き合いいただくことにしよう。

第１章
戦争の惨禍

ジャック・カロ《1633年、戦争の惨禍、絞首刑》（部分）

西洋が戦争の悲惨さに直面し実感するのには、実のところ一七世紀まで待たなければならない。それまでは、中世の十字軍はもとより、ルネサンス期イタリアの都市国家間の抗争においても、前面に打ち出されるのは、もっぱら英雄的な武勲や勝利の栄光であった。

たとえば、メディチ家を筆頭にルネサンス文化の華を咲かせようとしていたフィレンツェ共和国は、画家パオロ・ウッチェッロ（一三九七—一四七五）に《サン・ロマーノの戦い》三連作を描かせ、一四三二年にシエナ共和国との戦いで勝利したことを祝ったのだった（一四三八—五五年頃、ロンドンのナショナル・ギャラリー、フィレンツェのウフィツィ美術館、パリのルーヴル美術館にそれぞれ所蔵）。

また、同じくフィレンツェ共和国が、その市庁舎（ヴェッキオ宮殿）の大広間（五百人大広間）を飾るために、ミラノ公国に勝利した一四四〇年の《アンギアーリの戦い》と、ピサ共和国軍を撃退した一三六四年《カッシナの戦い》を、今を時めく二人の天才レオナルド・ダ・ヴィンチとミケランジェロに発注し（一五〇四年）、対抗意識を刺激して腕を競わせたことは有名な話である（残念ながら両作とも、部分的な下絵や模写などを除いて現存しない）。

ちなみに、このときの注文契約書には、政治思想家でフィレンツェ共和国の外交官などを歴任したニッコロ・マキアヴェッリ（一四六九—一五二七）がサインしていることも知られている。この腕利き術策家はその主著『君主論』（一五三二年）のなかで、平和のときにも物心両面にわたって戦争への準備を怠ってはならないと説く。なぜなら、平和は確かなものでも安定したものでもなくて、世の中のあらゆることは絶えず揺れ動いているからである。平和が怠惰につながるとき、戦争の原因は取り除かれるどころか助長される危険がある。それゆえ君主に求められるのは、いざというときには戦争を回避しないという決定である、とマキアヴェッリはいう。

とはいえ彼は、武力の行使には一定の手綱が必要であることも忘れているわけではない。そして、もちろんこうした現実主義的な思想の背景として、各都市国家間の対立や抗争、教皇庁も含めたヨーロッパ列強からの干渉や圧力、さらにはフィレンツェ共和国内部の分裂や権力闘争といった不安定な政情が絡んでいたことはいうまでもない。たとえば、一四五四年にミラノとナポリとフィレンツェのあいだで和平協定「ローディの講和」が交わされるようなことがあったとしても、それはむしろ暫定的で例外的なことであった。ミケランジェロのパトロンとして知られる教皇ユリウス二世（在一五〇三―一三年）は軍事的手腕家としてその名をとどろかせていた、そういう時代である。

†平和の訴え

一方、これとはある意味で対照的に、宗教改革勃発の前夜に『平和の訴え』(一五一六年)というアピールを上梓して反戦を唱えているのは、オランダの人文主義者デジデリウス・エラスムス(一四六六頃―一五三六)である。同じくヨーロッパ列強の覇権争いを舞台に、エラスムスは、マキアヴェッリのような当事者としてというよりも、現状からやや距離をとって冷静にこれを眺めている。特筆されるのは、今日のわたしたちにも思い当たるふしが少なくないこと、それゆえなお十分に傾聴に値する教訓の数々がそこにちりばめられていることである。主なものだけを列挙してみるなら、たとえば次のようになるだろう。

・為政者を戦争に引きずりこむ原因は、その「憤怒と野望と愚昧であって、決して必然のものではない」ということ。
・かりに平和がいわば妥協の産物であるとしても、「正しいとされる戦争」よりはずっとましであること。
・万事につけてやや優勢にある隣国が、ただそれだけの理由で戦端を開くような場合も起こりうること。

・若者たちは「戦争がどんなにひどい災禍をもたらすかについてみずから体験がない」ため、えてして戦争を「愉しいもの」と誤解しがちであること。

・もし「祖国」や「血のつながり」に戦争の大義名分があるというのなら、この世界こそがすべての人間に共通の祖国なのであり、誰もがみな同じ祖先から派生していること。

・復讐は「低俗な心情の持ち主」がやること。

・民衆の協力は専制的な権力にたいする抵抗の力を有していること、等々。

ここに挙げたいずれの警告も、時代を超えた真実であるように思われる。エラスムスがここで否定的なニュアンスを込めて「正しいとされる戦争」と呼んでいるものは、実のところ、ローマ法に依りつつキリスト教神学がその長い伝統のなかで練り上げてきたものである。いわゆる「正戦論」と呼ばれるものがそれで、正当とされる目的や理由がある場合には最後の手段として必要最小限の武力行使はむしろ推奨される。だが、エラスムスはこれに反して、外交的な妥協のほうがそれよりもずっと望ましいと考えるのだ。

とりわけ異教徒や異端者（という烙印を捺された者）が敵対者とみなされて攻撃の対象に

なり、さらにその戦争にまさしく神がお墨付きを与えたとなれば、たとえば十字軍の場合がそうであったように、文字どおり「聖戦」として正当化されることになるだろう（この口実は、「対テロ戦争」として今も根強く生きているように思われる）。アウグスティヌス（三五四―四三〇）からトマス・アクィナス（一二二五頃―七四）に受け継がれる正統的なキリスト教は、総じてこの立場を支持してきたといっても過言ではない（ちなみに、十字軍遠征や異端審問、魔女裁判の過ちをヴァチカンが公式に認めたのは二〇〇〇年、ポーランド出身の第二六四代教皇ヨハネ・パウロ二世の在位中のことである）。

もちろん、エラスムス以前にも、こうした戦争観に疑問が呈されてこなかったわけではない。たとえば、初期キリスト教を代表する神学者のひとりオリゲネス（一八五頃―二五四頃）は、敵意や復讐、破壊や闘争の観点から（宗教的な）対立を語ることをきっぱりと退け、原理主義的な発想を鋭く批判している。いわく、

しかしながら、各人がすべての敵対者を戦いの相手としていると考えるべきではない。というのは、いかなる人であれ、たとえそれが聖人であれ、これらすべての反対者に対して同時に戦う力を持っていないと思うからである。全くあり得ないことであるが、仮にこれらすべての反対者と同時に戦う必要が生じたとすれば、人間本性は根底まで乱さ

れずに、この戦いを切り抜けることはできない（オリゲネス『諸原理について』）。

戦争は基本的に人間本性を根底から乱さないではいない、おそらくこれも永遠の真理である。オリゲネスのような神学者としてではなく、モラリストにして教育者として発言するエラスムスにおいても、「正しい」主体として想定されているのはもちろん、あくまでも西洋のキリスト教徒なのであり、ユダヤ人やイスラーム教徒でもなければ、ましてや征服と略奪の対象となったアフリカや新大陸の住人たちでもない。その意味で、まぎれもなく西洋中心主義の発想であることに変わりはない。とはいえ、たとえそうだとしても、いかなる場合であれ戦争の代償はその利益よりもはるかに大きいことを明言した点で、『平和の訴え』の歴史的意義は小さくない。

†外交官ルーベンスの《戦争の結果》

エラスムスがここで語った「戦争の災禍」が、はじめて西洋美術のテーマとして登場するのは、管見の限りでは、先述のように一七世紀になってからのことである。ピーテル・パウル・ルーベンス（一五七七—一六四〇）の大作《戦争の結果》——あるいは《戦争の惨禍》と呼ばれることもある——（口絵1、一六三七—三八年、フィレンツェ、ピッティ宮殿パラティーナ美術館）はその嚆矢で、スペイン王やイングランド王から画家としてのみならず外交官としても重用されたルーベンスの面目躍如たる作品でもある。

時はまさに三十年戦争（一六一八―四八年）の真っただ中。カトリックとプロテスタントの対立、そしてスペイン＝オーストリアのハプスブルグ家とフランスのブルボン家との抗争を背景に、北欧のデンマークやスウェーデンまで巻き込んで国際的な戦争に発展した。この戦いを機に、中世以来の封建体制は衰退し、近代的な主権国家体制へと移行することになるが、推定で四五〇万から八〇〇万人もの市民と兵士――多くは傭兵――の犠牲者を出したとされる。ヨーロッパがそれまでに経験したことのなかった未曾有の事態となったのだ。

こうした状況下、ルーベンスの作品はハプスブルグ家の神聖ローマ帝国皇帝フェルディナント二世（在一六一九―三七年）の注文で描かれたのだが、しかし、ことさらパトロン側のご機嫌をうかがうというわけではなく、敵味方の違いを超えた戦争の惨劇を寓意的かつ普遍的にとらえた作品になっている。そのためにここでルーベンスは、あえてギリシア・ローマ神話の神々に訴える。

画面の中央、息子のクピド（アモル）を従えた愛と美の女神ウェヌスは、甲冑に身を固めて剣と盾を手にした軍神マルスを全身全霊で引きとめようとしている。だが、その甲斐もむなしく、彼女を振り払うようにしてマルスは戦いに突進していこうとする。彼はまた書物を右足で踏みにじっているが、これは、武のために文――知恵や教訓――が軽んじられていることを示唆しているのだろう。

この軍神をことさらに煽り駆りたてているのは、すさまじい面相をして松明を掲げる復讐の三姉妹フリアエ――「激しい怒り」を意味する英語 fury の語源――のひとりである。一方、画面の左には、黒い装束に身を包んで天を仰ぐエウロペ――ヨーロッパの寓意――がいて、終わりのみえない戦いのなかでまるで喪に服しているかのようだ。

マルスとフリアエに打ちのめされるようにして横たわる右下の三人は、戦争によって犠牲となるものを象徴している。幼児を抱く母は伝統的に「慈悲」を象徴してきた図像だが、慈悲なき戦争の最大の犠牲者はいつの時代であっても女性と子供なのである。右手でコンパスをかざす男性像と、リュートを守ろうとしているようにみえる背中向きの女性像によって、ルーベンスはおそらくいわゆるリベラル・アーツ（自由学芸）を暗示させていると考えられる。戦争は、人間の尊い営みである学術や技芸をも容赦なく破壊してしまうのだ。

さらに、暗雲のなかに紛れるようにして描かれているために一見しただけでは判別しにくいかもしれないが、よくみると彼らの頭上には、二匹の怪物が跳梁跋扈しているのがわかる（図1-1、口絵1の部分）。おそらくこれは疫病と飢饉の象徴で、戦争がたいていこの二つをともなうことは、やはり時代や地域を超えた真実である。

ヨーロッパ全土を襲い、その人口の三分の一をも奪ったとされる一四世紀半ばの黒死病の大流行はあまりにも有名な話だが、一七世紀にもまたパンデミックの波が押し寄せている。さらに後述することになるが、第一次世界大戦とスペイン風邪の大流行とは切り離すことができない。アフリカ各地の内戦や紛争がまたしかりである。コロナ禍とロシアによるウクライナ侵攻の関係についても、今後おそらく検証がなされることになるだろう。

図1-1　ルーベンス《戦争の結果》(部分)

さて、ルーベンスがここであえて神話的な寓意に訴えたのには理由がある。とりわけルネサンス以来、戦争と平和は、マルスとウェヌスのカップルによって象徴されてきたのだ。一例だけを挙げるなら、たとえばボッティチェッリの有名な作品（口絵2、一四八三年、ロンドン、ナショナル・ギャラリー）では、美しい女神の前で武装解除したマルスがしばしの眠りについている。

その鎧兜で戯れているのは、獣の脚と山羊の角をもつ小さな牧神パーンたちだが、いたずら好きの彼らはまたマルスの耳元に大きな貝笛をかざしていて、そのうちのひとりが頬を大きく膨らませて今まさに吹きかけようとしているから、いつこの軍神が目を覚ますとも限らない。それはいみじくも、平和のときにも戦いの準備を怠るなという、マキアヴェッリの教訓を先取りするかのようでもある。ちなみに、人口に膾炙した「パニック」の語源はこの牧羊神に由来するもので、それというのも、パーンは不意に出現するために人間に恐れられてきたからである。

こうした伝統を踏まえて、ルーベンスはさらに、やはり三十年戦争の時機に、神話のカップルを戦争と平和の寓意として描いた作品を何枚か残している。なかでも、ロンドンのナショナル・ギャラリーに伝わるもの（図1-2、一六二九―三〇年）は、理想的平和のイメージとして、イングランド王チャールズ一世（在一六二五―四九年）に贈られたことでも知られる。

画面中央で授乳しているようにみえる半裸の女性像については、ウェヌスのほか、豊穣の女神ケレースや平和と秩序の女神パークスとみなす説もあるようだが、いずれにしても平和の象徴であることに変わりはないだろう。その背後で、彼女を守るようにしてマルスを追い払っているのは、知恵の女神ミネルウァである。甲冑をつけたミネルウァは同時に戦争をつかさどる女神ともされてきたから、ここではいわゆる「正戦」が暗示されているとみることもできる。

さらに、豊穣の角（コルヌコピア）をもつサテュロスや、黄金の贈り物を携えるニンフたちが、平和のもとでの繁栄に彩りを添えている（とはいえ、それらが新大陸や東方における搾取と奴隷貿易の産物であることにまで踏み込んで描かれているわけではない）。画面左には一七世紀当時の衣装を着けた若い王女らしき人物がいて、婚礼の祝祭の神であるヒュメナイオスから花の冠を授けられている。周知のように、宮廷間の婚姻関係は和平のために有効な外交的手段となってきたものである。

図1-2　ルーベンス《戦争と平和の寓意》

古代ローマの女神で平和の寓意「パークス」にも長い伝統がある。たとえばシエナの市庁舎にアンブロージオ・ロレンツェッティ（一二九〇頃―一三四八）が描いた《善政の寓意》には、古代彫刻にインスピレーションを得た薄衣をまとう「パークス」（図1-3、一

右　図1-3　アンブロージオ・ロレンツェッティ《善政の寓意》(部分)
左　図1-4　フランチェスコ・サルヴィアーティ《平和の寓意》

三三八―三九年）が他の美徳と並んで姿をあらわしている。戦いに明け暮れていた都市国家とはいえ、平和は、慈愛や希望、寛大や正義などとともに、望ましい善政の原因にして結果でもあるのだ。

フィレンツェの市庁舎の大広間にもまた単彩のフレスコ画《平和の寓意》(図1-4、フランチェスコ・サルヴィアーティ作、一五四三―四五年）が描かれていて、こちらでは女神パークスが、喧嘩両成敗とばかりに二人の男を脚下に従えて、松明で武器に火をつけて燃やそうとしている。彼女が左手にもつシュロは勝利の象徴で、つまり平和が闘いに勝利することを意味している。ルーベンスが踏まえていたのは、こうした寓意的な平和像の伝統である。

†版画家カロのみた戦争

このようにヨーロッパを混乱と惨劇のなかに巻き込

んだ三十年戦争の時代に、画家にして外交官でもあったルーベンスは、神話の寓意に依拠することで、時の権力者に向けて平和のメッセージを伝えようとしたのだが、これとはある意味で対照的に、農民や兵士たちの惨状をもっと具体的でストレートに報告しようとした画家——より正確には版画家——がいた。フランス出身でイタリアでも活躍したジャック・カロ（一五九二—一六三五）である。その《戦争の惨禍》と題された一八枚のエッチングの連作（一六三三年）は、おそらく西洋美術史上ではじめて、戦争がいかに悲惨な結果をもたらすものであるかを見るものに強く訴えかけてくる。

ここに描きだされるのは、カロの故郷ロレーヌ地方に取材したと目される、傭兵たちによる村や宿屋や修道院の略奪と放火、旅人たちを待ち伏せして不意を襲う傭兵、その傭兵たちの絞首刑、新教徒への拷問、農民たちの反乱などのすさまじい光景の数々である。ただし、いずれの場面も視点をやや後ろに引いた広角で描かれていて、残虐な暴力をクローズアップする手法はおそらくあえて避けられている。

とはいえ、絞首刑の場面（図1-5）に顕著なように、その残忍さは今日のわたしたちにも衝撃を与えずにはおかない。画面中央の中景を占める巨大な樹木には、すでに二〇体にも近い数の死体が、まるで干された洗濯物のようにほぼ左右対称にぶら下がっている。さらに、これから処刑されることになる男が、幹にかかった梯子の上で合掌している。そ

図1-5　ジャック・カロ《戦争の惨禍、絞首刑》

のすぐ下には十字架をもつ修道士がいて、男に最後の罪滅ぼしを促している。また左下には、これから絞殺されることになる男が二人――ひとりはひざまずき、もうひとりは取り押さえられて――順番を待っている。

その反対側（幹の右下）では、兵士たちが何やらサイコロを振っているようにみえるが、この場面は、キリスト教美術の伝統的な図像、すなわちイエス磔刑の場面において、サイコロで分け前を決めようとしているローマの兵士たちのことを連想させずにはいない。この参照はおそらく画家によって計算されたものである。手前には脱ぎ捨てられた軍服と武器が転がっていて、これが賭けの対象になっているのだ（第1章扉図）。

フランス側の傭兵たちによって家を奪われ焼き放たれた農民や市民たちが、蜂起してその仕返しをする場面（図1-6）もまた壮絶である。マスケット銃が画面のあちらこちらで飛び交い、噴煙を吐いている。命乞いをしている傭兵にたいし

図1-6　ジャック・カロ《戦争の惨禍、農民の報復》

て一撃が浴びせられる。倒れた傭兵から衣服をはぎ取ろうとする者、馬車に襲いかかる者たちもいる。昨日の被害者は、今日の加害者にもなりうるのだ。戦争は、いやがうえにもそうした報復の応酬を助長させるだろう。先に引いたオリゲネスの言葉をくりかえすなら、「人間本性は根底まで乱されずに、この戦いを切り抜けることはできない」のである。

これらのエッチングの制作意図をめぐっては、専門家のあいだで解釈の揺れがあるようだ（Wolfthal）。たとえば、フランス軍のロレーヌ地方への侵攻にたいする抗議や、農民の反乱の擁護といった政治的な意図を読み込む解釈もあれば、もっと直截に三十年戦争の冷めた報道の記録――ルポルタージュの先駆け――とみなす解釈もある。あるいは、キリストの受難を連想させる宗教的な暗示が込められているとみなす説や、さらにはサディスティックな楽しみに応えているとみなす解釈まである。

いずれにしても、これらの説からどれかひとつを選ぶのは困難で、またその必要もないように思われる。というのも、《戦争の惨禍》のエッチングは、共感や同情をおのずと誘いもすれば、また反対に、嫌悪や憎悪をいやがうえにも掻き立てずにいないからである。さらにカロは、他の作品においても、ロマ（ジプシー）や乞食、身障者や道化師など、差別や抑圧の対象となる人々を好んで描いたことでも知られる。それが善意からか悪意からか、共感によるのか揶揄するためかについてもまた見解が分かれるようだが、このことは実は作者の意図にかかわるだけではなくて、わたしたち観る側の反応にも左右される問題なのである（そもそも、作者の意図なるものを言い当てることは不可能である。また、作者自身も、その意図なるものとは別に、自分でも気づいていないような無意識的な動機に突き動かされているかもしれない）。

平和の呼びかけか憎しみの扇動か、どちらであるにしても、この版画家が権力者の側にではなくて、社会の底辺に生きる人たちに目を向けていたのは紛れもない事実である。戦争がいまだ政治と社会の避けられない一部とみなされていた時代にあって、戦争の悲惨さ、そして戦争によってもたらされる人間の人間にたいする非人間的な行為を、支配する側からではなくて、支配される側から暴きだしたこのエッチング連作の意義は、けっして小さくはないといえるだろう。

図1-7　ゴヤ《マドリード、1808年5月3日》

†ゴヤのまなざし――見るにたえないものを見る

カロが目をやや後ろに引いてパンフォーカスでみていた戦争の悲惨さを、逆に、今度はそのおぞましい光景にずっと近づいていってクローズアップで迫ろうとするのは、スペインの画家フランシスコ・ゴヤ（一七四六―一八二八）による八〇枚のエッチング連作《戦争の惨禍》（一八一〇―二〇年、三重県立美術館が全八〇点を所蔵している）である。ゴヤがここで告発するのは、ナポレオン軍によるスペイン侵攻（一八〇八―一四年）がもたらした悲劇の数々である。ゴヤはもともとナポレオン信奉者だったから、それだけに裏切られたという気持ちが強かったのかもしれない。画家はまた油彩画《マドリード、1808年5月3日》（図1-7、一八一四年、マドリード、プラド美術館）において、ナポレオン軍にたいして蜂起したマドリード市民が銃殺される衝撃的な瞬間を迫真的にとらえていたが、版画連作ではさらに踏み込んで多彩な局面に目を向けることになる。

すなわち、この連作での画家の目的は、単にフランス軍の暴挙を告発することにあるというよりも、戦争そのものがもたらす恐怖と不条理を浮かび上がらせることにあるように思われる。その意味でこの連作は、観察力と想像力、批判精神と機知とが見事に合体した稀有の成果でもある。

図1-8　ゴヤ《見るにたえない》

全体は大きく三つのグループに分けられる。すなわち、主に暴行と殺戮や遺体――そのなかには残酷に切断されたものもある――をリアルにとらえた第一葉から第四七葉まで、飢餓とそれがもたらす惨状に焦点を当てる第四八葉から第六四葉、そして時の宗教と政治の権力を強烈に風刺する第六五葉以下、である。

引き裂かれる家族をとらえた第四四葉に、ゴヤは《わたしは見た（Yo lo vi）》というタイトルを付けている。画家はまさしく、歴史的惨劇の目撃者にして証言者たることを自認しているのだ。が、第二六葉では逆に《見るにたえない》（図1-8）と銘打たれ、ナポレオン軍の銃に倒れる市民たちが描かれる。先の《マドリード、18

08年5月3日》では、銃を構えるナポレオン軍の兵士たちが画面の右半分を占めていたのだが、版画では、ただ何本もの銃の先だけが兵士に取って代わる。それゆえ、その標的にされる女性や子供たちの姿のほうがひときわ際立つことになる。こうして市民の反応のほうにより焦点が当てられるのだ。

「わたしは見た」と「見るにたえない」、相反するようなこれら二つのタイトルは象徴的である。つまり、見るにたえないにもかかわらず、それでも見なければならない戦争の惨劇に、この版画連作全体が捧げられているのだ。ここにはもはや対象への冷めた距離感は存在しない。これらの多くが現場でゴヤ自身がその目で見て描いたスケッチに基づいているとされる。

「見るにたえない」と「見なければならない」、これらのあいだに横たわる倫理的でかつ感性的でもある抜き差しならない葛藤は、戦争の惨劇をいかに伝えるのかという問題の根幹にかかわるもので、写真やビデオなど再生技術の発展した現代にも通じるところがある。残虐で苦痛なイメージによって戦争を告発することと、戦争をいわば一種の見世物にすることとのあいだには、必ずしも明確な境界線が引けるわけではない。両者の違いは紙一重である。これは日々の報道を前に、わたしたちが実感していることでもある。フランスの哲学者ジャック・ランシエールの言い回しを借りるなら、「イメージのなかにある許しがたいもの」は「イメージの許しがたさ」へと容易に転じうるのだ（『解放された観客』）。二枚の版画のタイトルが示しているように、いみじくもゴヤはそのことにはっきり気づいていた。ゴヤが最初の近代画家とみなされるゆえんでもある。

一九世紀半ばになると、写真という新しいメディアがこの葛藤に加わることになる。そしてそれは、ベトナム戦争の報道写真をめぐってにわかに表面化してくる。これについては、最後の章で検討することになるが、いみじくもゴヤは二〇〇年以上も前にこのアポリアを先取りしていたのだ。

しかもゴヤの連作版画において、（カロではまだ暗示されていた）神の存在はもとより、救いや希望の光さえもはやどこにも射してはこないようにみえる。それどころか、神父はオウムの頭部をしていて（第七五葉《ペテン師たちのお芝居》、人の受け売りや同じ言葉のくりかえしの揶揄であろう）、ローマ教皇も危ない綱渡りをしている（第七七葉《綱が切れるぞ》）。このように連作には、ゴヤのもうひとつの代名詞である奇想（カプリチョス）も欠いてはいない。

なかでもわたしが特に注目しておきたいのは、連作のなかで女性が大きな役割を演じている点である。

《女たちは勇気を与える》（第四葉）や《何と勇敢な！》（第七葉）にみられるように、女性は励ましと勇気のシンボルにもなりうる。が、第五葉《やはり野獣だ》（図1-9）にあるように、彼女たちもまた野獣のようになって槍をとり、野獣の敵に立ち向かわなければならないところに、戦争の理不尽がある。

飢餓と混乱のなかで「慈愛」の心を失わないのもまた女性である（第四九葉《ある女の

上　図1-9　ゴヤ《やはり野獣だ》
下　図1-10　ゴヤ《嫌なのだ》

慈善》)。わが子と引き裂かれたり（第四四葉）、わが子の死に直面しなければならなかったりするとき（第五二葉《間に合わなかった》)、母の悲しみはひときわ大きいに違いない。

何より卑劣にして悲惨なのは、彼女たちがレイプの犠牲にされるときである。女は兵士に必死で抵抗していて、その母親であろうか老婆がナイフを振り上げて彼女を助けようと

上　図1-11　ゴヤ《やはり嫌だ》
下　図1-12　ゴヤ《どうしても嫌だ》

している（図1-10、第九葉《嫌なのだ》）。次の第一〇葉《やはり嫌だ》（図1-11）は、画面が混沌として容易には読み取りがたいが、そのことでむしろ事態のむごたらしさが際立たされる。おそらく、三組の男女が複雑に重なり合っていて、いずれの顔もあえて隠されているようにみえるが、そのなかでひとりの女性の悲痛な表情がわたしたちの目に飛び込んでくる。画面右に転がる剣はファルスの換喩であろうか。目を疑いたくなることだが、幼児の母親までもがレイプの対象にされる（図1-12、第一一葉《どうしても嫌だ》）。兵士が女の体を強く引っ張ると、彼女の手から赤ん坊が転がり落ちていく。

戦時下における性暴力は今にはじまった話ではないのだ。そしてそれは、どちらかというと、兵士たちの性欲を満たすためというよりも、強引に支配し服従させるための武器になっているのである。

西洋美術において、レイプの場面は、ギリシア神話やローマ史の題材としてくりかえし描かれてきた。それらにおいて強調されてきたのは、たとえば「サビニの女たちの略奪」のテーマにみられるように、集団レイプによって子孫が増えることで社会の安定が保たれるという男性中心主義のメッセージである（これについてわたしは以前に『もうひとつのルネサンス』のなかで論じたことがある）。

しかも、「ヘレネーの略奪」や「スザンナの水浴」など神話や聖書のテーマにおけるように、レイプされる女性の身体はしばしばエロティックなまなざしの欲望に応えてもきた。ゴヤはこうした伝統からきっぱりと手を切っている。いつの時代であっても、男たちの戦いのなかでいちばん大きなつけを払わされてきたのは、女性と子供たちなのだ。

†ドラクロワのオリエンタリズム

戦争の栄光ではなくて惨劇に、勝利者ではなくて犠牲者に焦点を当てる視座は、その後もたしかに受け継がれていく。たとえば、オスマン帝国からのギリシアの独立戦争（一八二一―二九年）を題材にしたウジェーヌ・ドラクロワ（一七九八―一八六三）の歴史画《キオス島の虐殺》（口絵3、一八二四年、パリ、ルーヴル美術館）は、その代表的な例である。具体的にこの絵で取り上げられているのは、独立派を鎮圧するためにトルコ軍がキオス島で一般住民を含めて虐殺した事件（一八二二年）である。

歴史画はそれまで、基本的に神話や古代史や聖書を題材としてきた伝統的なジャンルだったが、ひるがえってドラクロワは、まさしく現在進行中の悲劇的な出来事を大画面にのせた。そこにはおそらく、フランス海軍の艦船の難破に取材したテオドール・ジェリコーのセンセーショナルな大作《メデュース号の筏》（一八一八―一九年）からの影響があったと考えられる（ちなみにジェリコーは一八一四年にも《戦場から去る負傷した胸甲騎兵士官》

をあえて大画面で描いて物議を醸していた)。とはいえ、ドラクロワは実際に現地に赴いたわけではないから、想像的に再現されたものである。一八二四年のサロンに出展されたときには、「死か奴隷かを待つギリシア人の家族たち」という副題が添えられていた。

その言葉どおり、この絵がクローズアップするのは、戦争が人々のあいだにもたらす絶望と不安である。戦いの犠牲者たち――男女のカップル、老婆、母と子、父親と娘たちなど――が、大きく画面手前でV字状の構図に並べられていて、実際の戦闘の場面は、そのV字の隙間から遠くに小さくシルエットのように見えるだけである。画面中央で血を流して横たわる男は、おそらく受難のキリストへの連想を誘うことだろう。とりわけ鑑賞者の心を強く打つのは、殺された母親の乳にそれと知らずに必死でしがみつこうとする赤ん坊のけなげにも痛々しい姿である。

とはいえ本作において、東洋にたいする西洋の、イスラーム教にたいするキリスト教の優位があらかじめ前提とされていることは否定できない。それが顕著にあらわれているのは、画面右から騎馬にまたがって勢いよく登場するトルコ兵で、ターバンを巻いたこの男は、背中を向けて突進してくる男を大きな剣で殺害し、裸の女を引きずっている。その女の腕に綱が巻きついているのは、彼女が奴隷となることを暗示している。つまり、二つの民族と文化と性の衝突を描いた本作は、アラブ・イスラームの人々と文化にたいする西洋中心主義的でキリスト教的で男性中心的でもある偏見、いわゆるオリエンタリズムを免れているわけではないのだ。そこはまた同時に、エロティックでサディスティックな欲望が投影される空想のスクリーンでもある（ノックリン）。

当時、ギリシア独立戦争は、バイロンやシャトーブリアンら、ロマン主義の文学者たちによって熱烈に支持されていたもので、詩人バイロンが義勇兵として現地で戦ったことはよく知られている。ドラクロワも共感していたこの親ギリシア主義が、あくまでも西洋キリスト教の側に立つものであることは、もちろん忘れられてはならない。キオス島がホメロスの生地とみなされていたこともまた、彼らの親ギリシア主義を後押ししていたと想像される。西洋文明の原点はギリシア文明に求められたのだ。

しかしながら、ドラクロワのこの絵が単なる党派性やオリエンタリズムに回収されるものでないこともまた否定できない事実である。その証拠に画家はここで、独立戦争におけるギリシア側の勝利や英雄――たとえば将軍マルコス・ボタリスの武勲――をたたえるのではなくて、あえて匿名の犠牲者たちにスポットライトを当てたのだ。そこには同時に、ブルボン朝による復古王政（一八一四―三〇年）の反動政治のもとで苦しむフランスの民衆の姿が重ねられ暗示されているとする解釈があるが（Fraser）、それはまんざら的外れではないだろう。実際、この画家は、復古王政を倒した一八三〇年の七月革命を記念して、有名な《民衆を導く自由の女神》を描いたのだった。

†戦争と風刺

一八三〇年にギリシア独立が国際的に承認され、一八三二年にその完全独立が実現すると、オスマン帝国の衰退はますます顕著となり、これに呼応して、いわゆる東方問題がいっそう表面化してくる。すなわち、オスマン帝国支配下にある各民族の独立意識が高まるとともに、イギリスやフランスやロシアなどの西洋列強がここに積極的に介入してきて、抗争をくりかえすことになるのである。昨日の味方は今日の敵とばかりに、各国がエゴと欲望をむき出しにして戦いに明け暮れる時代の到来である。

さらに、一八三〇年のフランスによるアルジェリアの植民地化にも象徴されるように、列強が植民地政策を一段と加速化させていく時代でもあった。ほどなく日本も、列強に追い付け追い越せとばかりに、国家主義的で植民地主義的なこの流れに便乗することになるだろう。

これとほぼ時を同じくして、特にフランスとイギリスを中心に大流行をみるのが風刺画(カリカチュア)である。カリカチュア(caricature)はもともと、「荷を積む、誇張する、効果を目立たせる」などを意味するイタリア語の動詞「カリカーレ caricare」に由来する語で、とりわけ一七世紀以降、宗教的で政治的な権威・権力者にたいする風刺として発展してきた。先にふれたジャック・カロはまたカリカチュアの名手でもあった。

時代は進んで、一九世紀は「カリカチュアの世紀」、あるいはその黄金時代という異名をとるのだが、なかでも戦争はその格好の題材となった。風刺画はまさに「武器をもたない武器」なのである。そうした先駆者のひとりがイギリスのジェームズ・ギルレイ（一七五七―一八一五）で、たとえば《柔らかいプディング、危うし》（図1-13、一八〇五年）では、地球を焼き菓子のプディングに見立てて、軍服を着た英仏の支配者のあいだでこれを強引に奪い合うさまが辛辣にしてウィット豊かに皮肉られている。皇帝ナポレオンがヨーロッパ側に大胆にナイフならぬ剣を入れると、これに負けてなるものかと英首相のウィリアム・ピットは大西洋側を狙ってくる。キャプションには、「大球体とそこに授かるすべてをもってしても、かくも飽くなき食欲を満たすには小さすぎる」と添えられている。たしかに、時代は列強による地球の食い荒らしへと突き進んでいくのだ。しかもこの態度は、いずれの陣営かを問わ

図1-13　ジェームズ・ギルレイ《柔らかいプディング、危うし》

ず、今日も基本的に変わってはいない。だが、実のところそれは、我欲むき出しのかくも滑稽な行為なのだ。

つづいて登場するのが、フランスの風刺新聞『シャリヴァリ』などで活躍したオノレ・ドーミエ（一八〇八―七九）、イギリスの風刺漫画雑誌『パンチ』に原画を提供したジョン・リーチ（一八一七―六四）やジョン・テニエル（一八二〇―一九一四）たちである。たとえば、オスマン帝国の弱体化に乗じて南下政策をとるロシアにたいして、エジプトでの権益を狙うフランスや中央アジアの覇権をうかがうイギリスがオスマン帝国に加担して勃発したクリミア戦争（一八五三―五六年）をめぐって、彼らは何枚もの風刺画を残している。その大半は、敵側のロシア皇帝――ニコライ一世、アレクサンドル二世――を揶揄するカリカチュアなのだが、批判の矛先が自国の対応や戦争そのものにたいして向けられているものもある。

そうした一枚がドーミエの《戦争疲れで休息する聖ミトロファンと軍神マルス》（図1-14、一八五六年）で、ロシア正教の聖人ヴォロネジのミトロファンとギリシア神話の軍神マルスとがにらみ合っている。いうまでもなく前者（画面左）がロシア側を、後者（画面右）が英仏に後押しされたオスマン帝国側を象徴しているのだが、双方ともいまやことのほか老けて疲れたといった様子で、もはや一戦を交える気力も体力もなさそうである。

無益な戦いは即刻止めるにしくはないのだ。これはもちろん現代にも当てはまる。

一方、ジョン・リーチの《パリスをたしなめるヘクトル》（図1-15、一八五四年）では、トロイア戦争にまつわるギリシア神話の兄弟に託して、自国の戦争が痛烈に皮肉られる。神話や寓意に訴えるルーベンスの手法は、こうして風刺画のなかにも受け継がれていくのだ。そもそも弟パリスがスパルタの美女ヘレネを奪わなければ、トロイア戦争は起こらなかった。兄ヘクトルはそのことを弟にたしなめるが見放すわけではない。ヘクトルはまた

上　図1-14　ドーミエ《戦争疲れで休息する聖ミトロファンと軍神マルス》
下　図1-15　ジョン・リーチ《パリスをたしなめるヘクトル》

残される妻子の行く末を案じる兵士でもある。聞く耳をもたないといった風情で葉巻をくゆらせる当世風のパリスが、英国貴族を象徴しているとするなら、古代風の衣装に身を固めて睨みを利かせているヘクトルが代理するのは一般市民であろう。戦争で犠牲となるのは、貴族出身の将校たちではなくて、貧しい兵士たちなのだ。ちなみにクリミア戦争は、「白衣の天使」と呼ばれる近代看護教育の母、イギリスのフローレンス・ナイチンゲール(一八二〇―一九一〇)が負傷兵を献身的に介護したことでも知られる。

ルイス・キャロル原作の『不思議の国のアリス』や『鏡の国のアリス』の挿絵を手掛けたことで有名なジョン・テニエルも、たとえば《友人たちから俺を救ってくれ!》(図1-16、一八七八年)で、列強の植民地主義を巧みに皮肉ってみせる。鋭い睨みを利かせるライオンの英国と、媚びてすり寄るような熊のロシアとのあいだで身動きが取れなくなっているのはアフガン兵である。実際、第二次アフガン戦争(一八七八―八一年)において、ロシアを警戒するイギリスは先手を打って、アフガニスタンを強引に保護国にしたのだった。テニエルの風刺画はもちろんこの暴挙を踏まえている。

アメリカからも一枚登場願おう。フィラデルフィアの新聞に掲載された作者不詳の政治風刺漫画《翼の先端から先端まで1万マイル》(図1-17、一八九八年)がそれである。北半球を覆う猛々しいワシ――いうまでもなく米国の象徴――の翼の左右の先端が、カリブ海のプエルトリコから太平洋を大きく横切ってフィリピンにまで達している。どちらともそれまではスペインの植民地だった島々である。実際、ハワイをあいだにはさんで、プエルトリコやフィリピンがアメリカ領となったのが、この漫画が描かれた一八九八年のことである。絵のなかのワシは、鋭いまなざしでくちばしを開け、虎視眈々と獲物を狙っている。

これが描かれた一八九八年には、米西戦争によって、かつて「太陽の沈まない国」と恐れられたスペインの衰退は決定的となる。アメリカがこれに取って代わるのだ。本国ではまた反スペインのプロパガンダが高まる時代でもある。画面右下には比較のために小さく、北米大陸だけを覆う一〇〇年前のワシが描かれているから、この間にいかに勢力が拡大

上　図1-16　ジョン・テニエル《友人たちから俺を救ってくれ！》
下　図1-17　作者不詳《翼の先端から先端まで1万マイル》

したかを誇示しているかのようでもある。それゆえ、こうした漫画は、見方によっては逆に、アメリカの帝国主義的な野望をむしろたたえているようにも受け取れなくはない。風刺画にもやはりあいまいさは残るのだ。

風刺画というわけではないが、本節の最後に、素朴派の日曜画家として知られるアンリ・ルソー（一八四四―一九一〇）の手になる《戦争》（口絵4、一八九四年、パリ、オルセー美術館）と題された油彩画を取り上げておきたい。本作では、いずれか特定の戦争が対象になっているというよりも、戦争そのものが、さながら無邪気に木馬にまたがって、剣を振り回して遊んでいるかのような子供の姿によって象徴され揶揄されているのである。その左手に握られた松明は、まるで、子供なら誰もが好物の綿菓子か何かのようだ。

わたしの勝手な読み方かもしれないが、いみじくもルソーはここで、戦争を児戯にも等しいものとみなしているのではないだろうか。そこには、無邪気さのうちに残酷さと不気味さとが隠れているのだ。木々は枯れて枝が折れ、背景の雲は血の色に染まっている。ギャロップする馬の脚の下には多くの裸の死体が転がっていて、何羽もの真っ黒いカラスが血を滴らせながらその肉を食いちぎっている。ただひとり着衣で、無表情のままこちらのほうをじっと見ている倒れた男はおそらく画家本人であろう。かのピカソの有名な反戦画《ゲルニカ》にも影響を与えたとされる作品でもある。

図1-18　ジェームズ・ギルレイ《千年王国の前触れ》

さらに付言するなら、ここにはまた『ヨハネの黙示録』に登場する四騎士のうち、「戦争」を象徴する剣をもつ騎士と、「死」を象徴する蒼白い馬にまたがる騎士のイメージも重なっているように思われる（ちなみにあとの二人は「征服」と「飢饉」の騎士である）。死体の上を走り抜ける騎士という図像は、中世以来『黙示録』の挿絵のなかでくりかえし何度も描かれてきたものである。先述したジェームズ・ギルレイも、この図像の伝統を踏まえて《千年王国の前触れ》（図1-18、一七九五年）という風刺画を残していた。対仏大同盟を組織して、強引にナポレオンとの戦争に踏み切った首相ウィリアム・ピットが、ここで蒼白い馬にまたがる「死神」を演じている。これにたいしてあくまでも戦争に反対した外相は、「平和」と書かれた紙片を手にしたまま、馬に足蹴にされている。ルソーによる騎馬にまたがる戦争のイメージは、黙示録とその風刺の伝統ともおそらく無縁ではない。

†第二インターナショナルと反戦

ところで、排他的な愛国主義や対外的な強硬論や主戦論をさして、英語では「ジンゴイズム」、仏語では「ショーヴィニズム」と呼ばれることがあるが、これらの語が流布するようになるのもまた一九世紀後半のことである。前者は掛け声の「ヘイ・ジンゴ!」に、後者は熱烈なナポレオン崇拝者の人名「ショーヴァン」に由来するとされる。これに対抗したのがいわゆるインターナショナルの動向で、戦争に関しては内部で若干の見解の相違を孕みながらも、社会主義思想とも結びついて大きな流れになっていく。とりわけ哲学者で革命家としても知られるローザ・ルクセンブルクが活躍した第二インターナショナル(一八八九―一九一四)では、基本的に反戦平和の路線が敷かれることになる(第一次世界大戦の勃発で分裂した)。意外に思われるかもしれないが、「平和主義」とか「戦争反対」と訳される「パシフィスム pacifism」という新造語が、フランスの作家で法律家のエミール・アルノー(一八六四―一九二一)によって唱えられるようになるのもこの時代のことである。

この動きに共鳴したイギリスの画家で装飾美術家にウォルター・クレイン(一八四五―一九一五)がいる。中世の手仕事を再評価したアーツ・アンド・クラフツ運動の主導者にして社会主義者でもあったウィリアム・モリス（一八三四―九六）の影響を強く受けたクレインは、生活と芸術との融合という理念のもと、ラファエル前派風の絵画のみならず、壁紙やテキスタイルなどの各種デザイン、そしてなかんずく児童書の挿絵などで広くその才能を発揮した。その彼が、寓意画的な伝統にのっとりながら、第二インターナショナルの動きに連動するようにして、労働者の国際的団結や平和を積極的に訴えるパンフレットを何点か制作しているのである。

たとえば、《ストップ・ザ・ウォー》（図1-19、一八九九年頃）では、南部アフリカ侵攻をもくろんで大英帝国が仕掛けた第二次ボーア戦争（一八九九―一九〇二年）を背景に、

上　図1-19《ストップ・ザ・ウォー》
下　図1-20《社会主義と帝国主義の鬼火》
上下ともにウォルター・クレイン

ギリシア神話の女神ニケーかローマの女神パークスを連想させるような女性寓意像に託して、反軍国主義のメッセージがストレートに表現されている。下の銘文には次のようにある。「戦いで双方が大きな痛手を負っている。博愛の名のもと、共に手を引き、頭を使って合意の基盤を見つけよう」。これはいつの時代のどんな戦争にも当てはまる真実だろう。

《社会主義と帝国主義の鬼火》(図1-20、一九〇一年)では、「社会主義」が新しい白熱電球に、「資本主義の搾取」と結託した「帝国主義」が人をたぶらかす鬼火(ウィルオウィスプ)にそれぞれなぞらえられていて、イギリス人民を象徴するひとりの男が、武装して英国旗を握る軍人を背負って鬼火のほうに向かっている。この男の背中にはまた「重税」の袋がずっしりとのしかかっている。庶民の血税で軍備が増強され戦争へと向かっているのだ。男は社会主義の女性寓意像に視線を送っている。その足元には、「庶民に家を、子供たちに食べ物を」「失業者に仕事を」などと、教科書のように明快なメッセージが刻まれている。社会主義と反戦主義、理想主義と進歩主義が合体したような一枚だが、この理念は第一次世界大戦の勃発——同時に第二インターナショナルの分裂——とともにあえなくも打ち砕かれることになるだろう。

†ロシアの反戦画家——ヴァシーリー・ヴェレシチャーギン

同じころ、ロシアにもまた隠れた反戦の画家が登場していることを忘れてはならないだろう。ロシア帝国とオスマン帝国とのあいだで起こった露土戦争（一八七七―七八年）に従軍した経験をもち、さらに生涯を中央アジアや北アフリカへの旅にささげたヴァシーリー・ヴェレシチャーギン（一八四二―一九〇四）である。パリ国立美術学校でジャン＝レオン・ジェロームに師事しているが、アカデミックなその画風には必ずしも馴染めなかったようだ。

なかでも特筆すべきは《戦争の神格化》（口絵5、一八七一年、モスクワ、トレチャコフ美術館）と題された作品である。「神格化」とはいささか皮肉の利いたタイトルだが、はるか地平線を望む荒野のなか、山積みになっているのは無数の頭蓋骨である。頭蓋骨のモチーフはまた、いわゆる「死を想え（メメント・モリ）」の中世以来の図像の伝統につながっている。

よく見るとそれらのひとつひとつは別の表情をしていて、しかも、銃弾の穴やサーベル（軍刀）の鋭い傷跡にも各々違いがある。鑑賞者の方をじっと睨みつけているような眼窩をした頭蓋骨もある。無名の犠牲者たちにはそれぞれ個別の歴史があったのだ。だが戦争はそれらをことごとく粉砕してしまう。ピラミッド状に積み重なっているのは、彼らへの弔いを暗示するためであろうか。もはや餌になるものなどどこにも残ってはいなさそうなのだが、それでも何羽ものカラスが宙に舞い、しつこく亡骸をついばんでいる。廃墟となった城壁の跡が背後にかろうじて見えていて、戦いの激しさを暗示している。

この絵は、アンリ・ルソーの《戦争》と同じく、ある特定の戦争を踏まえているというよりも、戦争そのものの悲惨さを、「メメント・モリ」の寓意に託して表現したものといえるだろう。ちなみに、二〇二二年のロシアによるウクライナ侵攻に抗議するため、シベリアの町トムスクで、雪のなかこの絵の複製を無言で掲げたロシア人の大工が逮捕されたというニュースが、写真とともにインターネット上で伝わっている。このことからも、本作が今日でも本国でひそかに反戦のシンボルとみなされていることがうかがえるだろう。

ヴェレシチャーギンはさらに、みずから従軍した露土戦争を題材にして、《敗北、パニヒダ》（口絵6、一八七七年、モスクワ、トレチャコフ美術館）や、《戦争捕虜の道》（口絵7、一八七八―七九年、ニューヨーク、ブルックリン美術館）など印象的な作品を残している。

前者では、地平線のかなたまで無限に広がる荒野一面に、数えきれないほどの兵士の遺体が裸のまま整然と並べられていて、正教会の司祭が、苦渋の面持ちで振り香炉をくゆらせながら、永眠した人を神の国に届けるための鎮魂の祈り「パニヒダ」を捧げている。《戦争の神格化》における頭蓋骨の数もそうだが、いったいどれだけたくさんの遺体がここに描かれているのだろうか。その途方もない数が、戦争のむごたらしさを暗に伝えている。褐色の枯草に紛れているために、それらが遺体であることは、よく見ないとなかなか判明しづらい。おそらく画家は、あえてあからさまな死の表現を避けたのだろう。どれも穏やかに眠っているように見える。

一方、後者《戦争捕虜の道》では、見渡すかぎり寒々しい一面の雪原のなか、トルコ兵の捕虜たちがあちこちで行き倒れになっていて、カラスがその亡骸をついばみ、上空からも狙っている。おそらく集団で移動中に精根尽き果てたまま、その場に見捨てられたのであろう。こうして画家は、敵方の捕虜の悲惨な運命にも目を向けようとするのだ。ロシア（あるいは旧ソ連）が、捕虜にたいしていかに残酷な仕打ちをしてきたか、それは、たとえば第二次世界大戦終戦後のシベリア抑留をめぐる香月泰男（一九一一―七四）の連作などを通じてわたしたちにも伝えられている。そして、いまもなおシベリアに強制的に送られるウクライナ人たちの報道が流れてくる。ヴェレシチャーギンのこの絵は、ほかでもなくロシアにもまた、そうした現実から目を背けることのなかった画家がいたことを証言しているように、わたしには思われる。《戦争の神格化》と同様、まさしく今のロシア人に見てもらいたい絵でもある。

列強が帝国主義と植民地主義に突き進むなか、このようにロシアにもまた、戦争の愚かしさと悲惨さに目を向ける画家がいたことを、わたしたちは忘れてはならないだろう。

†写真の登場と戦争

本章の最後に、一九世紀半ばに産声を上げる写真と戦争との関係についても簡単に触れておく必要があるだろう。とりわけクリミア戦争とアメリカの南北戦争（一八六一―六五年）は、戦場にカメラが持ち込まれたごく早い例として知られる。

とはいえ、その重い機材や長い露光時間など技術上の制約から、軍人の肖像や兵舎の映像などは別にして、リアルタイムで戦闘場面そのものがカメラに収められることはなく、いずれも事後的に撮影されたものであった。それゆえ、大なり小なりある種の演出や脚色、つまりいわゆるやらせが、ある意味で戦争写真に最初から取り憑いてきた魔物のようなものであったとしてもおそらく偶然ではないのだ。フォトジャーナリズムの起源のひとつはここにあって、客観性と即時性がうたい文句になってはきたものの、その成り立ちから戦争写真はある種のパラドクスを抱えているのだ。

ここで特筆に値するのは、南北戦争に従軍した写真家アレクサンダー・ガードナー（一八二一―八二）の事例であろう。ちなみに彼は、リンカーン大統領暗殺の共犯者を撮ったその写真が、ロラン・バルトの著書『明るい部屋』によってとみに有名になった、スコットランド出身の写真家である。そのガードナーが、アンティータムの戦いやゲティスバーグの戦いに従軍して撮影したいくつかのダゲレオタイプ（銀板写真）において、事後に現地でカメラを向けるにあたって、戦場に転がる遺体を並べ替えたり、銃などの武器に変更を加えたりしていたことが指摘されている（Snyder）。

そうした写真において、たとえば、無残にも見捨てられた遺体のそばに銃がしっかり立てかけてあるままの写真（図1-21）は、たしかにその状況からみてやや不自然である。

上　図1-21　アレクサンダー・ガードナー　南北戦争の写真
下　図1-22　ティモシー・オサリヴァン　南北戦争の写真

また、惨状をいっそう際立たせるために、死体の数を増やしたり位置を変えたりしてフレーム内に収めたものもあるらしい。まだ若いアイルランド出身の写真家ティモシー・オサリヴァン(一八四〇―八二)が、ガードナーらの薫陶を受け、戦場に取材したもの(図1-22)がまたしかりである。

が、皮肉なことにも、そのおかげで戦争の忌まわしい現実が一段と強調されることになったのもまたまぎれもない事実であろう。実際、アレクサンダーは、受け手の側の感情的な反応を期待して、それらをまとめた写真集を出版している(Snyder)。つまり、それらの写真からは、意図してか知らずか、厭戦の雰囲気がそこはかとなく漂ってくるのである。

同様のことは、クリミア戦争に取材したイギリスの写真家ロジャー・フェントン(一八一九―六九)についてもいえる。たとえば、果てしない荒野に無数の弾丸が転がるところをとらえた、通称「死の影の谷」と呼ばれている写真(図1-23、一八五五年)は、それらがいつ爆発するともしれないという緊迫した不安感を見るものに与えないではいないが、それはおそらく演出の効果である。また、夕日が沈んでいく戦場の地平線をフレームに収めたその写真の数々(図1-24)は、ピクチュアレスクと崇高という一八世紀的な美意識を反映したもので、逆に、戦争の美化につながったという指摘もある(Fenton Crimean War Photographs)。

さらにこれ以後、たとえばライカによるカメラの小型化や三五ミリフィルムの開発などの技術革新とともに、第一次世界大戦から第二次世界大戦にかけて、カメラは、戦場の記録手段として重要な役割を担うことになるが、これらにおいては、あくまでも当局の意向に沿うような軍直属のカメラマンの写真が中心であった。これにたいして、フリーランスの報道カメラマンたちが活躍し、いわゆるフォトジャーナリズムの黄金期を築くことにな

上　図1-23　クリミア戦争の写真
下　図1-24　クリミア戦争の写真（セヴァストポリ）
上下ともにロジャー・フェントン

るのは、ベトナム戦争の時代のことであるが、これについては第4章で検討することにしたい。

第２章
第一次世界大戦

オットー・ディクス《戦争》(1929-32年、中央パネル、部分)

第一次世界大戦と美術との因縁は、いろんな意味で深くて屈折している。何よりもまず、この人類史上最初のグローバルな総力戦は、将来を嘱望された多くの若い芸術家たちの命を無残にも奪ってしまった。時はまさに、さまざまな前衛芸術運動が次々と勃興しつつあった二〇世紀初頭である。「前衛芸術」と訳される「アヴァンギャルド」という語は、もともと「前線」を意味するフランスの軍隊用語であった。戦死した芸術家たちのことを思うとき、この対応はいささか皮肉に響く。

†戦争に駆り出される画家たち

なかでも、ドイツの表現主義グループ「青騎士」の闘士でみずから志願して前線に赴いた、アウグスト・マッケ(一八八七—一九一四)とフランツ・マルク(一八八〇—一九一六)のあまりにも早すぎる死は象徴的である。同様の例としてイタリアでは、未来派の画家で彫刻家のウンベルト・ボッチョーニ(一八八二—一九一六)、設計図だけでその名を歴史に遺した建築家アントニオ・サンテリア(一八八八—一九一六)を忘れることはできないだろう。フランスにもまた、彫刻界に新風を吹き込んだアンリ・ゴーディエ＝ブルゼスカ(一八九一—一九一五)や、同じく彫刻家でマルセル・デュシャンの兄レイモン＝デュシャン・ヴィヨン(一八七六—一九一八)がいる。イギリスからは、詩人としても知られる肖像画家アイザック・ローゼンバーグ（一八九〇―一九一八）の名前を挙げておきたい。

さらに、前の章でも述べたように古くから戦争に疫病はつきものだが、第一次世界大戦によって加速されたパンデミック、スペイン風邪の犠牲になったのは、オーストリアの画家エゴン・シーレ（一八九〇―一九一八）や、フランスで活躍したイタリア出身の美術・文芸批評家にして小説家ギョーム・アポリネール（一八八〇―一九一八）であった。

ご覧のように、いずれも二十代から三十代の若さで帰らぬ人となっているのだ。もし彼らが無事に生き延びていたとしたら、二〇世紀のアートシーンは今とは少し別の様相を呈していたかもしれない。

もちろん、ここに名前を挙げた芸術家たちはほんの一握りに過ぎないだろう。志半ばにして、無名のまま戦地に倒れた画家たちも少なくなかったと想像される。さらには、赤十字の活動などに従事していたであろう女性芸術家の卵などを含めると、その数は想像をはるかに超えるに違いない。

それだけではない。心や体に傷を負った若き芸術家たちの存在も忘れることはできない。たとえば、イタリア未来派の画家カルロ・カッラ（一八八一―一九六六）はノイローゼを病んで除隊し、ドイツの画家オットー・ディクス（一八九一―一九六九）やゲオルゲ・グロス（一八九三―一九五九、後にアメリカに亡命した彼は英語風にジョージ・グロスと呼ばれることを選択）は負傷兵となって帰還した。その苦い経験はまた彼らの作品にも影を落とすことになる。産声を上げたばかりの精神分析が、「戦争神経症」なるものについて報告するようになる時代でもあり、さらにそれはトラウマのテーマともつながっていくだろう。

ディクスとグロスについては後述するが、カッラはこれを機に、きっぱりと未来派に別れを告げ、ジョットやウッチェッロら一四・一五世紀のプリミティヴな絵画に回帰するようになる。カッラはまたフェラーラの陸軍病院に収容されるが、この町にはジョルジョ・デ・キリコ（一八八八―一九七八）が配属されていて、この二人の出会いは、謎めいたマネキンたちのイメージに象徴される「形而上絵画」の誕生にとって重要な契機となる。

そもそも、イタリアの詩人にして批評家のフィリッポ・トンマーゾ・マリネッティ（一八七六―一九四四）によって主導された未来派の運動は、スピードやダイナミズムや男らしさといった（耳を疑いたくなるような）観点から戦争を称賛し、積極的な参戦を呼び掛けていたのだった。マリネッティにとって戦争はまた、「世界の唯一の衛生学」でもあった。つまり、あろうことか戦争は人間の生理と知性を増幅させ進化させる、というのである。

未来派に限らず、先述のドイツの画家たち、マルクやディクスやグロスも志願兵であったし、さらにオスカー・ココシュカ（一八八六―一九八〇）、エルンスト・ルートヴィヒ・キルヒナー（一八八〇―一九三八）、マックス・エルンスト（一八九一―一九七六）らの名前をここに加えることができる。また、同盟国側のみならず連合国側でも、未来派の絵画に影響を受けて「ヴォーティシズム（渦巻き派）」を立ち上げた画家エドワード・ワズワース（一八八九―一九四九）はイギリス海軍予備員に志願している。

総じて若い世代にとって第一次世界大戦は、とりわけその開戦時において、「戦争を終わらせるための戦争」にもたとえられ、古い世界からの解放と自由を実現するものとして情熱的で楽観的に受け止められていたのである（河本真理）。敵と味方に分かれることになるが、アメリカの作家アーネスト・ヘミングウェイとドイツの作家エーリッヒ・マリア・レマルクもまた志願兵として前線に赴き、その体験からそれぞれ『武器よさらば』と『西部戦線異状なし』の名作を著わしたことはよく知られるところであろう。

第1章でも述べたように、すでに一六世紀初めに賢明にもエラスムスは『平和の訴え』のなかで、若者たちは「戦争がどんなにひどい災禍をもたらすかについてみずから体験がない」ために、えてして戦争を「愉しいもの」と勘違いしがちであると警告していたのだが、第一次世界大戦の開戦時において、それがまさしく的中した感がある。

ところが、周知のように、技術革新による最新の殺戮兵器――戦闘機、戦車、潜水艦、毒ガス――が導入され、長引く塹壕戦によって膠着した第一次世界大戦は、彼らの予想を見事に裏切って、その過酷さにおいても犠牲者数においても、人類がそれまで経験したことのないほどの大惨劇をもたらしたのだった。近年ではフランスの漫画家タルディが『塹壕の戦争』で描きだそうとした現実でもある。

†クレーの反応

一方、こうした未来派的な反応とは対照的に、一九一六年にドイツ軍に徴兵されたスイス出身の画家パウル・クレー（一八七九―一九四〇）は、幸運にも前線に駆り出されることはなかったものの、配属先でつづられた日記には、「憂鬱」「メランコリー」「嫌気」「神経質」「飢えと渇き」「陰鬱」といった心情が正直に吐露されている。「兵隊ごっこ」には「無関心」でありたいというクレーの日記からは、やり場のない厭戦感が漂ってくる（そのクレーでさえ開戦当初は志願を望んでいたようだ）。

さらに、戦争の犠牲となって夭折した友人マルクやマッケへの思いが語られ、次のようにしたためられる。

私たちの生きている時代は、過渡期である。昨日の世界から今日の世界への移行なのだ。形象の寒々とした洞窟には、残骸が転がっている。人間はまだ未練がましくあたりを徘徊している。残骸は、抽象化の素材となる。

此処と彼処のあいだの秤、昨日と今日の境の秤となるとは、なんと苦悩に満ちた運命か（『クレーの日記』）。

航空基地に配属されたクレーは、第一次世界大戦を「苦悩に満ちた」歴史の分水嶺のようなものとして、どこかアイロニカルなまなざしで眺めている。その日記にあるように、「兵隊ごっこ」に嫌気のさしているクレーは、味方の飛行機墜落事故についても、「めでたいことだ」とシニカルに反応している。

図2-1 パウル・クレー《襲われた場所》

一九一八年から一九二〇年頃にかけてこの画家は、たとえば《空中戦》などにおけるように、鳥とも飛行機ともつかないものが矢印をともないながら落下していくようにみえる様子を描いたデッサンを何枚か残しているが、そこには戦争体験がまぎれもなく反映しているように思われる。

また、地平線を思わせる褐色のグラデーションのなかを矢印が急降下していく水彩画《襲われた場所》(図2-1、一九二二年、ベルン、パウル・クレー・センター)では、その威圧的な矢印の先に破壊された街並みらしき光景が記号を並べたように広がっている。その日記に記されているように、ここではまさに、「残骸」が「抽象化の素材」となっているのだ。戦争の愚かさをクレーは、「抽象化」のオブラートに包んで、どこか冷めた目で眺めていたようだ。

†オットー・ディクスの戦争

このクレーとはある意味で対照的に、もっとストレートに戦争への恐怖と嫌悪を表現しているのが、負傷して帰還したオットー・ディクスとジョージ・グロスである。

その名もずばり《戦争》と題されたディクスの五〇枚の銅版画シリーズでは、第一次世界大戦の代名詞ともなった塹壕戦や毒ガスの惨劇が、鋭くて激しい線描のクローズアップで描きだされる。まるで威嚇するかのような画面右の骸骨が象徴するように、死と隣り合わせの塹壕陣地では、缶詰の味気ない昼食をとることすらままならない(図2-2)。ガスマスクは、ひとりひとりの人間から個人としての顔を完全に奪い去り、一様な機械もどきに変容させる。彼らは、犠牲者にもなれば殺戮者にもなるだろう(図2-3)。

冷徹で残酷なまでのまなざしを対象に注ごうとした「新即物主義（ノイエ・ザッハリヒカイト）」の潮流にもつながるディクスにはまた、戦争で顔面に激しい傷を負った兵士たちをスケッチした何枚かの痛々しい水彩画《顔面負傷兵》（図2-4、一九二二年、ドレスデン、近代絵画館）も残されている。それがけっして誇張でもレトリックでもないことは、イギリスの外科医で絵心のあるヘンリー・トンクス（一八六二―一九三七）が治療のために残したパステルによる医学的スケッチの数々（図2-5、イングランド王立外科医師会）と比較してみれば一目瞭然である。こうしてディクスは、見たくないものに蓋をしようとする社会の良識にあえて異を唱えるのだ。ちなみに、こうした顔面負傷兵についてはまた当時、多くの写真も撮ら

上　図2-2　《塹壕での食事》
下　図2-3　《ガスマスクの突撃隊》
上下ともにオットー・ディクス

れていて、ドイツの作家でアナーキストのエルンスト・フリードリヒ（一八九四―一九六七）は、これらの痛々しい写真を集めて『戦争に反対する戦争』（一九二四年）というパンフレットを作成している（Friedrich）。ある統計によると、顔面にこのように見るも恐ろしい傷を負った兵士の数は、英仏独を合わせて二八万人にも上ったという（Gehrhardt）。

さて、ディクスの厭戦感がもっとも強烈に表現されているのは、同じく《戦争》と題された三連画である（口絵8、一九二九―三二年、ドレスデン、近代絵画館）。三連画という古風な形式で、しかも板にテンペラ（二〇四×一〇二センチ）という、やはり古来の素材があえて使われているのは、おそらく、一六世紀前半に活躍したドイツの画家マティアス・グリューネヴァルトの傑作《イーゼンハイム祭壇画》（一五一一―一五年頃）にオマージュが捧げられているからである。そこには、十字架のキリストを中央に、痛ましくもおぞましい磔刑像が描かれているのである。

この名高い先例を模範にするようにしてディクスは、名もなき兵士の受難の一日を四つの画面に収める。朝に前線に向かい（左翼）、昼に戦いに敗れ（中央）、夜に負傷して運ばれ（右翼）、そして最後に遺体となって塹壕に横たわる（中央下）。全体に灰色と茶褐色のトーンのなかで、滴る血と背景で燃えあがる炎の朱色がむごたらしさをいっそう盛り上げる。三場とも、はるか彼方にまでつづく地平線が、戦場の果てしなさを物語っている。先

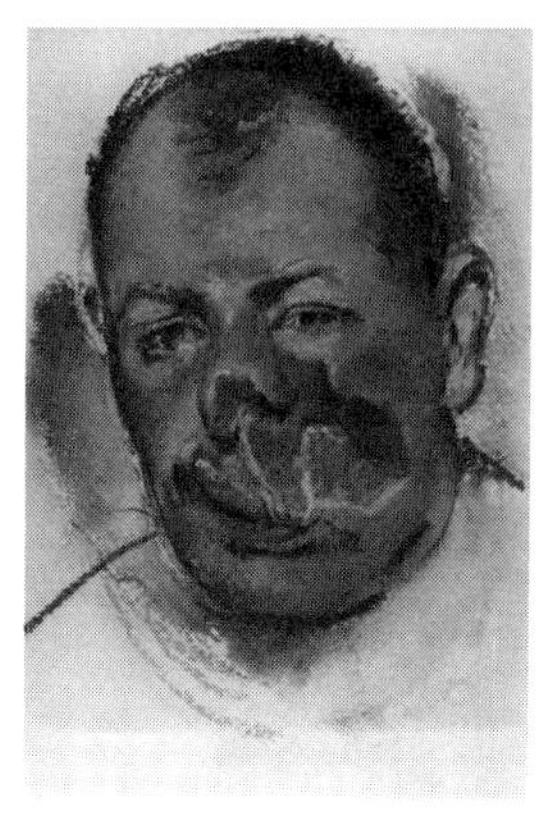
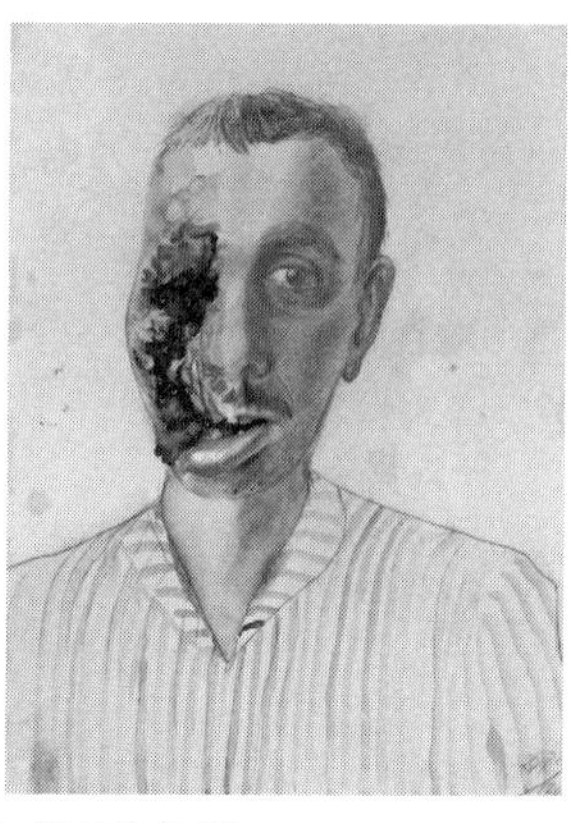

右　図2-4　オットー・ディクス《顔面負傷兵》
左　図2-5　ヘンリー・トンクス《顔面負傷兵》

の敗戦でフランス領となったアルザス地方を奪還しようとする、いわゆる失地回復運動を盛り上げるのに、この絵が一役買ったという解釈もあるようだが（Mackenzie）、それはやや的外れであるように、わたしには思われる。ディクスはここで、戦闘の場面を描くことを断固拒否しているのだ。

出陣のすぐ隣につづくのは、切り裂かれて血に染まり打ち捨てられた死体の山である。それらは瓦礫とともに無秩序に画面に氾濫しているため、判別が困難なほどだが、そのことでいっそう戦場の惨劇が際立たされることになる。なかでも強烈なのは、画面上、棒に引っかかるようにして宙に浮く腐敗した遺体で、その右手はしっかりと死体の山を指さしている（第2章の扉図）。このグロテスクなりアリズムはグリューネヴァルトに由来するものである。

この作品には、自身の戦争体験のみならず、迫りくるナチズムの脅威にたいするいいようのない不安や嫌悪もまた同時に投影されているように思われる。事実、絵の完成した一九三二年の選挙でナチ党は第一党となり、翌年には党首ヒトラーが首相に任命されたのだった。その統治下でディクスの絵画は、「退廃芸術」の最右翼とみなされることになる。

†ジョージ・グロスの戦争

志願兵として出兵するも、幻滅を味わって除隊したジョージ・グロスは、ダダイズムと新即物主義への共感とともに、戦争と戦後社会の実態を強烈に風刺するようになる。なかでもリトグラフによる風刺画集『神は我らと共に』(一九二〇年)は、ドイツ軍の愚かさと残忍さを強烈に皮肉るとともに、かつての上位軍人たちがヴァイマル共和制下でぬくぬくと居座っているさまを告発する。タイトルの「神は我らと共に(GOTT MIT UNS)」は、ドイツ兵の軍服ベルトのバックルに刻まれていた銘句で、敵を殺すときにも神は赦し守ってくれる、という含意がある。ここにもまたグロスの強烈な皮肉が利いている。このモットーは、今日のわたしたちには、イスラーム原理主義的な響きにも聞こえるが、もとをたどればおそらく、十字軍の大義名分に行き着くだろう。

たとえばその一枚《血は最上のソース》(図2-6)では、背後の殺し合いを尻目に、手前の軍人と資本家が、ワイングラスを片手に豪勢な食卓についている。こうして、戦争を肥やしに太ってきた富豪たちにもまた、グロスの鋭い批判の矛先が向けられる。さらに《死の女衒》(図2-7)では、庶民を死に追いやった将校たちが(画面手前)、売春を斡旋して私腹を肥やす女衒になぞらえられる。ところが、彼らの背後に控える娼婦たちは、いまや骸骨となっているのだ。

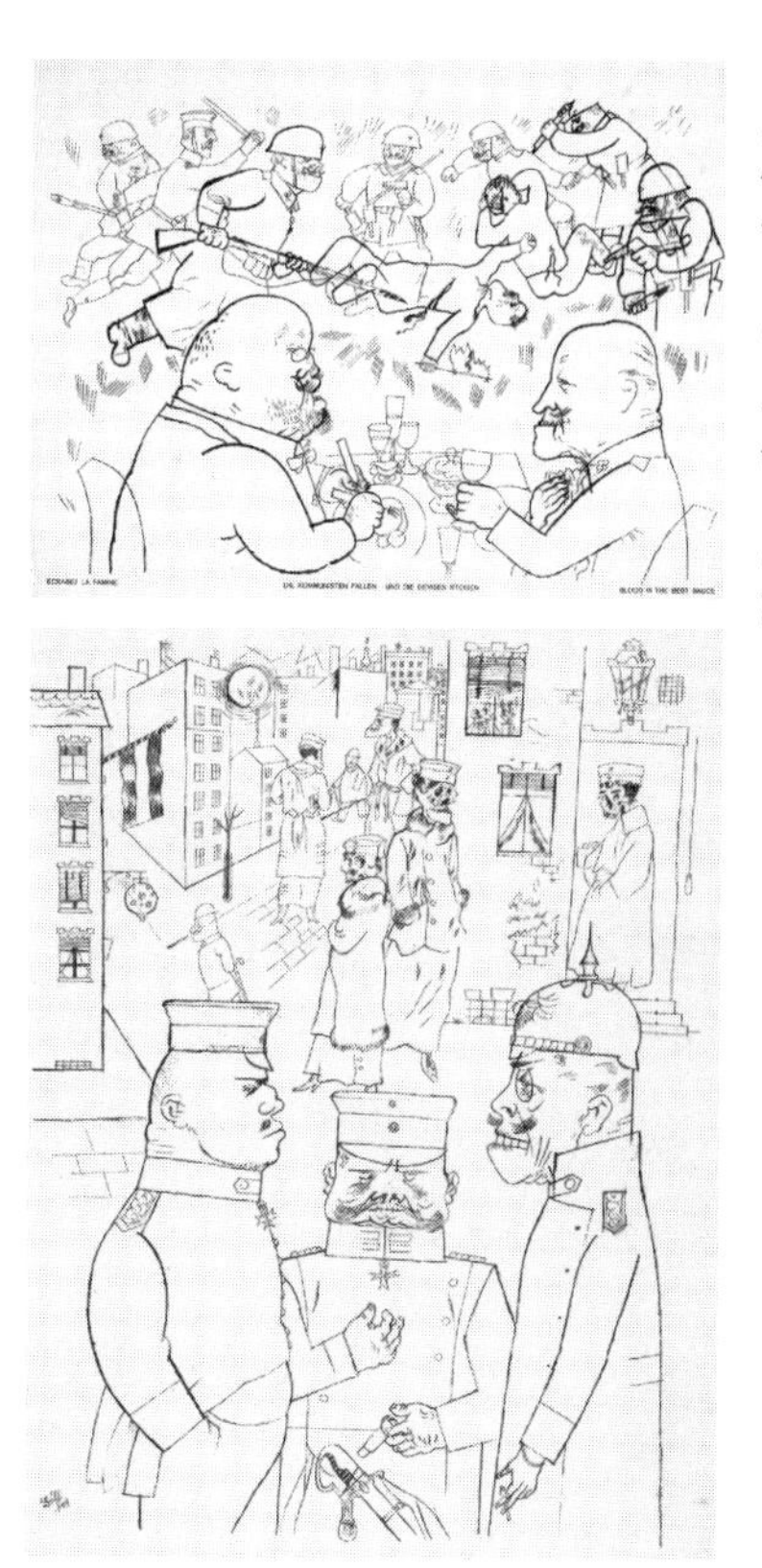

上　図2-6《血は最上のソース》
下　図2-7《死の女衒》
上下ともにジョージ・グロス

ヴァイマル共和制下のドイツ社会を強烈に風刺したグロスの油彩画に《社会の柱》(口絵9、一九二六年、ベルリン美術館)がある。ここでは、軍と教会と資本家とジャーナリズムとの結託が槍玉に挙げられる。タイトルにあるようにまさしく「柱」状の縦長の画面の手前から、左手にビールジョッキ、右手にフェンシングの剣を握った大資本家の男の頭のなかは、私腹を肥やす戦争のことでいっぱいである(その頭蓋の上で黒い軍馬が跳ねている)。そのネクタイにはまたナチ党のシンボルである鉤十字(ハーケンクロイツ)がしっかりついている。

この男をはさむようにして、左側には、尿瓶を頭にかぶって新聞を手にしたジャーナリストらしき男がいる。右側には、頭蓋に湯気の立つ糞をのせた小太りの男が「社会主義は機能しなければならない」という謳い文句を掲げている。この絵が描かれた当時、ヴァイマル共和国は社会民主党が政権をとっていたから、これは痛烈な皮肉である。また、ジャーナリストも、勝利のシンボルであるシュロの葉を手にしているのだが、それは赤く血に染まっている。キリスト教美術ではシュロは殉教者のシンボルでもあるから、ここでグロスは、ジャーナリズムが国民を犠牲にさらしていることを暗示しているのだろう。

彼らの上にいるのは、黒い装束に身を固めた聖職者で、何やら説教をぶっているようにみえる。だが彼は、背後で軍隊が暴挙に出ていて、火の手が上がっていることにはまるで無頓着なようだ。

このようにグロスは、第一次世界大戦そのものというよりもむしろ、この戦争がドイツにもたらした負の遺産のほうに目を向ける。そしてたしかに事態は最悪の方向に突進しつつあったのだ。ナチスが実権を握った一九三三年、画家はアメリカへの亡命の道を選ぶことになる。グロスもまたディクスと同じくナチスによって「退廃芸術」の最右翼と裁断されることになるのだ。

†ベックマンの戦争

グロスとディクスよりも少し年長だが、マックス・ベックマン(一八八四―一九五〇)もまた一九一四年に戦争がはじまるや衛生兵として志願するも、翌年には神経衰弱を患って除隊している。この表現主義の画家が戦後すぐに描いた《夜》(口絵10、一九一八―一九年、デュッセルドルフ、ノルトライン=ヴェストファーレン州立美術館)では、押しつぶされたような浅い空間のなかですさまじい光景が繰り広げられている。ベックマンはそれを、強くて激しい線と浮き彫りのような肉付けによって表現する。人物たちはさながらぎこちない操り人形のようにもみえる。彼らは何か見えない力によって操られ煽られているかのようだ。

左の男は首をつられて拷問を受け、後ろ向きで大股開きの女は強姦されているようにみえる。その傍らにいて悲しげな表情をしているのは彼らの娘であろうか。戦闘場面そのものが描かれているわけではないのだが、苦しみと痛み、恥辱と凄惨、悲しみと怒り、震えとおののき、この絵には戦争が人間にもたらすほぼすべてのものが象徴的に描かれているようにわたしには思われる。

時間は前後するが未完成のままに残された《復活》(図2-8、一九一六年、シュトゥットガルト州立美術館)では、そのタイトルとは裏腹に、もはや誰も復活しているようには見えない。最後の審判の後に死者たちは肉体ごと復活して、天国と地獄に振り分けられるというのがキリスト教の教えだが、真っ黒い太陽のもと、栄光にあずかっているような人物は画面のどこにもいない。打ちひしがれ、野ざらしにされ、嘆き悲しむ者がいるだけだ。たとえ復活したとしても待っているのは天国ではなくて地獄だ、といわんばかりに。合掌して祈る者もいるのだが、いまやそれは何の慰めにもならない。除隊してすぐに着手されたこの大作(四八四×三五八センチ)が未完成のままに残されたとするなら、それは、戦争の現実がベックマンにあまりにも重くのしかかっていたからであろうか。

では、女性のアーティストは状況をどのように見ていたのだろうか。そのことを的確に証言してくれるのが、版画家で彫刻家のケーテ・コルヴィッツ（一八六七―一九四五）である。七枚の木版画連作《戦争》（一九二一―二二年）は何よりその証である（丸木位里・俊夫妻による《沖縄戦の図》を展示する宜野湾市の佐喜眞美術館が所蔵している）。

図2-8　マックス・ベックマン《復活》

ここでは、女性として母としての立場が際立っていて、志願した末息子を開戦後わずか一週間で戦死させてしまったという彼女自身の苦い体験がおそらく投影されている。その一枚、《志願兵たち》（図2-9）では、勢いよく天を仰ぐ彼らの表情には、勇ましいものもあれば、苦渋に満ちたもの、瞼を閉じるものもある。彼らはさまざまな動機から志願したのだろうが、結局のところ、左端で彼らを先導しているのは死を象徴する骸骨なのだ。

同じ連作中の《母たち》（図2-10）では、コルヴィッツ自身がそうだったように、息子の死を悼む幾人もの母親たちが、まるで墓石を形づくるかのようにして固く抱きしめ合っている。その隙間からは小さな二人の子供が鋭いまなざしを送っている。せめてこの子たちの命だけは奪わないでほしい、という母たちの切実な思いがそこに込められているようにみえる。大きく残された黒い面のなかから、必要最小限に抑えられた力強い彫りの白い線が浮かび上がってくる。その線がとらえるのは、母たちの顔と手の表情、そして子供のまなざしで、わたしたちの目はそこに釘付けになる。

そもそも彼女は、社会の底辺で生きる貧しい人々や虐げられた人々を好んで描いてきたが、その出世作となったのは、ドイツ農民戦争（一五二四―二五年）を題材にしたエッチング連作七点（一九〇二―〇八年）であった。ここにおいてすでに、犠牲者たちに焦点が当てられている。連作の最後の一枚《捕らわれた人たち》（図2-11）では、多くの貧しい農民たちが両手を縛られ憔悴しきった様子で首を垂れている。そのなかには子供の姿もある。反乱を企てた廉（かど）で彼らを待っているのは、処罰か処刑である。虐殺された農民の数は十万人ともいわれる。よく知られているように、宗教改革の担い手であったマルティン・ルターは当初、封建地代の増徴や農奴復活に反対する農民たちの側に立っていたのだが、彼らの抵抗が急進化するに及んで、領主側に寝返り、最終的に鎮圧されたのだった。

かつてドイツの偉大な画家にして版画家アルブレヒト・デューラーは、この農民戦争のための記念碑を構想していた（一五二五年の『コンパスと定規による測定教程』）。これが、勝利者か農民のいずれの側に立つものなのかで解釈は分かれるようだが、その頂上には苦しみうなだれる農民の像が据えられている。さらに、フリードリヒ・エンゲルスもその著書『ドイツ農民戦争』（一八五〇年）で労働運動の原点に位置づけていたから、おそらくこれらの先例のことがコルヴィッツの念頭にあったのだろう。

上　図2-9 《志願兵たち》
中　図2-10 《母たち》
下　図2-11 《捕らわれた人たち》
3点ともにケーテ・コルヴィッツ

社会主義に共鳴していた彼女はまた、国際労働組合連盟の反戦ポスターのために下絵を提供している。一九二四年の「反戦の日」のための二つのポスター、《生存者たち》(図2-12)と《二度と戦争はごめん》(図2-13)がそれで、前者では、貧しい母と子供という彼女が多く手がけたモチーフが前面に打ち出され、後者では、ドラクロワの《民衆を導く平和の女神》を連想させる身振りの人物の力強い上半身によってストレートなメッセージが伝えらえる。一方、コルヴィッツと同じく女性の版画家セッラ・ハッセ(一八七八―一九六三、Sella Hasse)は、キリストの死を悼む聖母マリアのイメージに重ねるようにして、息子たちを戦場にとられた母親の姿を、表現主義的な木版画に刻みつけている。

†オーストリアの画家がみた戦争

同盟国側からもうひとり登場願うとするなら、日本ではあまりなじみがないかもしれないが、オーストリアの画家アルビン・エッガー=リエンツ(一八六八―一九二六)の名前を忘れることはできない。とりわけ《フィナーレ(最終章)》(口絵11、一九一八年、ウィーン、レオポルド美術館)と題された褐色の単彩画のような作品は印象的である。従軍経験のあるこの画家は、おそらく戦争の最終局面としてこの絵を描き、そのタイトルを付けたのであろう。

一面に無造作に横たわるのは、こわばりねじれ歪んだ負傷者か遺体の数々である。これが味方のものなのか敵のものなのかはもはやさして重要ではない。軍服を着たままの者もいれば、素肌をさらしている者もいる。その様子をこの画家は、さまざまな角度からの鋭い短縮法によってとらえているが、どこに誰の腕や脚があるのかは判然としない。そのことで無残さがいっそう際立たされる。一兵士のこわばった左手の指は、何か言い残したこ

上　図2-12《生存者たち》
下　図2-13《二度と戦争はごめん》
上下ともにケーテ・コルヴィッツ

図2-14　アルビン・エッガー＝リエンツ《名もなき者たち》

とがあるかのようだ。ぽっかり空いた口とくぼんだ両目だけが闇のように黒く塗られていて、痛々しくもあれば不気味でもある。

《名もなき者たち》（図2-14、一九一六年、ウィーン軍事史博物館）では、上半身を倒して重々しくゆっくりと前進する無名の一兵卒たちの姿が描かれる。その様子は一見したところ勇ましいようではあるが、おびえているようにも見える。真っ先に前線に立たされて、いわば捨て駒にされるのはいつも彼らなのだ。彼らの顔はほとんどみえないから、それだけ匿名性がいっそう強調される。例外的に顔を上げる真ん中の兵士は、すでに負傷していて、左の太腿から赤い血がしたたり落ちている。彼らを待ち受けているのは、おそらく《フィナーレ》に描かれたような運命なのだ。

一方、《戦下の女たち》（図2-15、一九二二―二三年、リエンツ市立博物館）に描かれるのは、おそらく戦争やスペイン風邪で息子や夫を奪われた貧しい女たちである。両端の二人が黒い衣装を身につけているのは、喪に服しているからだろうか。一様に彼女たちの頰はこけ、瞼もくぼんでいて、もはや生きる屍のようにすらみえる。何か作業をしているようだが、無気力でその手つきもおぼつかない。部屋の床や椅子の遠近法も不自然に歪んでいて、まるでいまにも彼女たちを押しつぶしてしまいそうだ。

図2-15 アルビン・エッガー＝リエンツ《戦下の女たち》

これら三作は連作というわけではないのだが、このオーストリアの画家は、表現主義的でもあれば新即物主義とも無縁ではない独自の様式と乾いた無機質の色彩によって、戦争の悲惨な現実を、貧者と女性の立場から訴えかけようとする。その意味では、コルヴィッツともまた一脈通じるところがあるといえるだろう。

†イギリスの公認戦争画家たち

さて、このあたりで連合国側に目を転じてみよう。イギリスでは、自由主義と平和主義を信奉する知識人や芸術家からなるブルームズベリー・グループが、総じて戦争反対の立場を表明したことはよく知られている。高名な哲学者バートランド・ラッセル、作家のヴァージニア・ウルフ、画家で批評家のロジャー・フライ、さらに経済学者ジョン・M・ケインズらがこのグループのメンバーだった。

一方、多くの画家たちが公認戦争画家として政府から任用され、西部戦線を筆頭に各戦地に派遣されていた。その目的は当然ながら、戦意高揚のための情報提供と記録、愛国的なプロパガンダと啓蒙にあった。キュビズムや未来派など前衛芸術に傾倒していた二〇代の若い画家たちも選出されていて、文字どおり前線に駆り出されている。たとえば、ポール・ナッシュ（一八八九―一九四六）とジョン・ナッシュ（一八九三―一九七七）の兄弟、クリストファー・ネヴィンソン（一八八九―一九四六）やウィンダム・ルイス（一八八二―一九五七）はその代表である。

彼らの多くもまた当初、未来派的な情熱に駆り立てられていたのだが、ひとたび現地で戦争のおぞましい実態を目の当たりにするや、幻滅と苦痛を味わうことになる。何よりそれを如実に物語っているのは、ポール・ナッシュの作品である。

イタリア未来派の洗礼を受けたイギリスの前衛芸術運動、「ヴォーティシズム（渦巻き派）」の担い手のひとりであったこの画家は、一九一七年二月に、フランス北東部からベルギー南部にかかる西部戦線に従軍。部隊が大打撃を受けるなか、かろうじて一命をとりとめて同年五月に負傷兵としてロンドンに戻ったという経歴をもつ。

この間にスケッチやデッサンを描きためて、それをもとにプロパガンダのための絵を制作することになるわけだが、実のところ、それらの絵は、戦意高揚どころか、反対に戦争がいかに荒廃をもたらすだけかを証言するものになっているように思われる。いったい誰がその絵をみて、みずからすすんで戦地に赴こうとするだろうか。

《われわれは新しい世界を創造している》(口絵12、一九一八年、ロンドン、帝国戦争博物館〔以下IWMと略記〕)というタイトルはどこか皮肉に響く。地面に無数に穿たれた、砲弾によるとおぼしき大きな穴。枝葉をそがれて枯れたままで立つ木々。それはあたかも死者たちの屍を象徴するようにもみえる。はるか地平線のかなたに上る太陽が希望の光となるのかもしれないが、「新しい世界」とは、実のところ望ましいユートピアなのではなくて、反対に、ポスト黙示録的なディストピアなのだ。敵を貶め、味方を鼓舞するというプロパガンダ的な意図を、この絵から読み取ることなどとうていできそうにもない。

これにさらに輪をかけるのが《ワイヤー》(図2-16、一九一九年、IWM)という恐るべき作品である。ここに広がるのは、色のない悪夢のなかのような灰色の光景である。とげとげしい有刺鉄線が画面全体を覆っている。人影ひとつみえないことで、むしろ戦場のむごたらしさが強調される。戦争は、敵であれ味方であれ、軍人であれ市民であれ、見境なく人間を抹消してしまうのだ。それだけではない、無残に幹を折られて有刺鉄線に絡まれた大樹に象徴されるように、自然をも否応なく巻き込んで破壊してしまう。

《戦争の空虚》(図2-17、一九一八年、オタワ、カナダ国立美術館)では、塹壕に転がる武器や車輪の数々、打ち捨てられた輸送車の残骸が描かれる。そこに雨が打ちつけているようにみえるが、ここにもまた人影はない。画面の右上、遠くでは攻撃機から爆弾が投下されていて、地上に噴煙が上がっている。周知のように、第一次世界大戦で史上はじめて採用された空爆と、長期化して消耗戦の舞台となった塹壕陣地とは、この総力戦を象徴する二大ストラテジーであった。

だが、それは何と「空虚」なものであろうか。たとえこれが実際の光景を再現したものではなくて、想像の産物であるとしても、それは大した問題ではない。いずれにしても、そしていかなる口実や理由が立つとしても、戦争がもたらすのものとはまさしく「空虚」にほかならない、そこに敵味方の区別はない、この絵はわたしたちにそう訴えかけているようにさえ思われる。

これらの絵は、おそらく必ずしもイギリス軍側の意向に沿うものでなかっただろうことが想像される。また、従軍先から妻に送られた手紙のなかで画家は、たとえば次のようにしたためてもいる。「悪と人間の姿をした悪魔だけがこの戦争の主人で、神の手のかすかな光はどこにも見られない」、「嘆きと絶句、それがわたしのメッセージとなるだろう。だが、それこそが戦争のむごたらしい真実なのだ」、と(Nash)。

ポール・ナッシュの絵のなかには、もはや敵も味方もない。それゆえ、敵対心と報復を煽るために仲間の犠牲を描いたとは思われない。敵味方の区別なく巻き込むのが「戦争の

上　図2-16《ワイヤー》
下　図2-17《戦争の空虚》
上下ともにポール・ナッシュ

むごたらしい真実」なのだ。ウィリアム・バトラー・イェイツ（一八六五―一九三九）の詩「イースター1916」に借りるなら、ポール・ナッシュの絵とともにまさしく「恐ろしい美が生まれた」のである（Gough）。戦争のうちに美を見いだすのは冷酷だが、スーザン・ソンタグもいうように、荒廃の風景はあくまでも風景なのであり、廃墟のうちには美が宿りうるのだ（『他者の苦痛へのまなざし』）。

一方、ポールの弟ジョン・ナッシュは、一九一八年に兄の推挙で公認の戦争画家となるが、その作品もまた一概に戦意高揚のためのプロパガンダとはいいがたいところがある。たとえば、《塹壕を出て》（図2-18、一九一八年、IWM）を見てみよう。場所は、深い雪に覆われた北フランスの西部戦線。英軍は塹壕を出て反撃に向かうところなのだろうが、すでに溝の敷板に二人、雪上にひとりの仲間の遺体（あるいは負傷者）が無残にも転がっている。塹壕から出たばかりの兵士のひとりは、首を垂れ、肩を落としてひざまずいていて、もうこれ以上先には進めないといった様子である。厚手のコートを着た兵士たちの足取りも重苦しい。空には不吉な雲が立ち込めている。これでは逆に戦意をそがれかねない。この絵がわたしたちに伝えようとしているのは、塹壕戦の過酷さと非情さであるようにわたしには思われる。

ネヴィンソンの《塹壕陣地への帰還》（図2-19、一九一四年、オタワ、カナダ国立美術館）

は、殺人機械と化したロボットのような無表情の歩兵たちを、キュビズムと未来派の影響を受けたヴォーティシズムの斬新な様式で描きだす。そこに醸しだされるのは、しかし、未来派的な機械賛美というよりもむしろ、人間と機械とが合体した近代的総力戦の暴力と野蛮である。さながら人間は、みずからがつくりだした戦争機械の奴隷となってしまった

上　図2-18　ジョン・ナッシュ《塹壕を出て》
下　図2-19　クリストファー・ネヴィンソン《塹壕陣地への帰還》

かのようでさえある。

同じくネヴィンソンの手になる戦争画《勝利の道のり》(口絵13、一九一七年、IWM)は、逆に印象派を思わせるような明るい色彩と軽妙なタッチで描かれている。その表現スタイルは、絵の重いテーマと奇妙なコントラストを見せているのだが、それもおそらく画家によって計算されたことである。テーマとスタイルのこのちぐはぐさは、戦争の不条理を代弁している。幾本もの杭と張り巡らされた有刺鉄線のなか、味方の二人の遺体が、無残にも見捨てられたかのようにうつぶせに転がっている。彼らもやはり捨て駒にされたのだ。ここには「勝利」を期待させるものは何もない。それゆえ、その絵のタイトルは明らかに皮肉である。当局の検閲を受けて拒否されたというのも偶然ではないだろう(Wikipedia "Paths of Glory" による)。

このように、ナッシュ兄弟やネヴィンソンら若い画家たちの戦争画には、現実の惨状に直面して、未来派的な情熱が裏切られたという思いとともに、戦争への疑念と恐怖が投影されているように思われる。

彼らより年長の公認戦争画家たちのなかにもまた、戦争の負傷者や死者、そして破壊や荒廃のほうに目を向ける者がいた。イギリスを代表するポスト印象主義の画家、ウィリアム・オーペン(一八七八―一九三一)である。赤十字で救護活動に従事したという経験が、そのモチーフ選択に作用しているかもしれない。
《ティプヴァル》（図2-20、一九一七年、IWM）は、壮絶なソンムの戦い（一九一六年七月から同年一一月まで）の舞台となった北フランスの町ティプヴァルの荒れ果てた光景を描いている。全体の色調は印象派の絵のように明るいのだが、手前には頭蓋骨がいくつも転がっていて、惨状の跡を伝えている。ここでもまた、暗いテーマと明るいスタイルとのあいだの不調和があえてねらわれているのだ。

図2-20　ウィリアム・オーペン《ティプヴァル》

ソンムの戦いは、連合国側が幾分か有利には立ったものの、ドイツと連合国を合わせて一〇〇万人以上もの死傷者を出した、第一次世界大戦で最悪の会戦であった。オーペンは、連合国の優位を喧伝するのでも、兵士たちの武功をたたえるのでもなく、ただひたすら破壊と死に焦点を合わせる。

一転して暗い色調で写実的な《ゾンネベーケ》（口絵14、一九一八年、ロンドン、テート・ギャラリー）は、ソンムの戦いの翌年、パッシェンデールの戦いの最前線となって破壊されたベルギーの町である。イギリス軍によってこの戦闘ではじめて導入された最新兵器の戦車も、沼沢の多い地形と夏の大雨に阻まれて思うような動きがとれずに、多くの戦死者を出したとされる。オーペンが描いているのもまさしく湿地帯のぬかるんだ戦場である。画面の手前には、おそらく英国兵らしき死体が無残にも打ち捨てられている。分厚い雲に覆われた上空には、敵機らしきものの不気味な影もみえる。画家はここで、むしろ自国側の無謀な戦術を暗に批判しているようにさえ思われるのだが、それはわたしの勝手な憶測であろうか。

†毒ガスを浴びて

さて、イギリス政府が公認戦争画家として雇ったのは自国の画家ばかりではない。肖像画家としてすでに高い名声を博していたアメリカのジョン・シンガー・サージェント（一八五六―一九二五）にも白羽の矢が立っている。このときすでに六〇歳を超えていたサージェントだが、一九一八年夏にフランスとベルギーの国境の西部戦線に赴いて、水彩による兵士たちのスケッチの数々を残している。

だが、この大家が最終的にアトリエで仕上げたのは、《毒ガスを浴びて》（図2-21、一九一九年、IWM）というタイトルの残酷で陰惨な横長の大作（二三一×六一一センチ）であった。毒ガスを浴びて目に包帯を巻いた何人もの歩兵たちが一列になって、前線応急救護

図2-21　サージェント《毒ガスを浴びて》

所のある仮設テントに向かっている（テントのロープらしきものが何本も画面右にみえる）。その様子は、ブリューゲル父の名高い作品《盲人の寓話》（一五六八年）を連想させないではいないが、おそらくサージェントの念頭にもその絵のことがあったに違いない。

この行列の手前にも向こう側にも、すでに無数の負傷者や死者が無造作に転がっていて、地面を覆いつくしている。そのはざまを縫うようにして行列がゆっくりと前進している。目の見える兵士に先導されてはいるものの、彼らの足取りはおぼつかなくて、列からはみ出しそうになっている者もいる。サージェントは、彼らひとりひとりの表情と仕草と動きを巧みに描き分けている。しかも、同じように目に包帯を巻いた歩兵の列が、画面の右奥からこちらに向かっているところもしっかりととらえている。つまり、方々から同じ負傷者たちが救護所に向かっているのだ。もちろん、演出効果が狙われているとはいえ、いったいどれだけの兵士が毒ガスにやられたのだろうか。

図2-22　サージェント《毒ガスを浴びて》（部分）

毒ガスは、第一次世界大戦でドイツ軍が史上はじめて使用した化学兵器で、一九一五年四月二二日の一日だけで連合国側に五千人もの死者が出たというから、たしかにその被害は想像を絶するほどのものだったに違いない。とするなら、サージェントの絵のなかに描かれた無数の遺体もまた、誇張が過ぎるというわけではないのかもしれない。

一方、行列の兵士たちの脚のあいだをよく見ると、何やらサッカーに興じているとおぼしき土地の少年たちの姿が遠くに小さく描かれているのがわかる（図2-22、部分）。彼らは赤や緑のシャツを着ていて、全体に褐色のくすんだ画面のなかで、これがほとんど唯一の鮮やかな色である。

では、画家はいったいなぜこうした場面をあえて戦争画のなかに描き込んだのだろうか。きわめて深刻な事態にもかかわらず、それを無視するようにして無邪気にボールを蹴る姿を皮肉っているのだろうか。それとも、現在でもサッカーが難民の子供たちに希望を与えているように、平和への希望を少年たちに託しているのだろうか。おそらくは後者と思われるが確証はない。

そもそもこの絵自体、毒ガスという非人道的な無差別兵器を使ったドイツ軍を告発し、これにたいする怒りや報復の感情を扇動する目的のために描かれたのだろうか。それとも、もっと普遍的に、敵か味方かの違いを超えて、戦争そのものがもたらす惨劇を訴えようとしているのだろうか。

たしかに残虐行為のイメージは、相反するような反応を引き起こす可能性があって、これについてもまた、いずれかに決しがたいところが残る。というのも、おそらく受け手の立場や境遇によって、おのずと対応が異なってくるからである。たとえば、実際の犠牲者の家族とそうでない者とでは、絵の見方に相当の開きがあることだろう。

また、もちろん時間的な隔たりもここに関与してくる。つまり、同時代人でも当事者でもない現代のわたしたちには、どちらかというと後者、つまりより普遍的なアピールのようにみえてくる可能性のほうが高いだろう。もしも単なるプロパガンダに過ぎないのであれば、たとえば毒ガスをまき散らすドイツ軍をそこに描き加えることによって、もっと単刀直入なメッセージを絵に込めることもできたであろう。ところが、それはあえて避けられている。

受け手の側の見方や解釈にある程度まで幅があるとするなら、それは作品の欠陥でも、鑑賞者側の不備でもなくて、その絵が一義的な宣伝文句に回収されてしまうわけではないことの確かな証拠であるように、わたしには思われる。同様のことは、先述したナッシュ兄弟やオーペンらの作品ついても当てはまるだろう。

公認戦争画家というわけではないが、まだ若いノーマン・ロックウェル（一八九四―一九七八）が雑誌『ライフ』の表紙のために描いた、《せめて母さんだけでもいまの僕を見ていてくれたなら》（図2-23、一九一八年、個人蔵）にもぜひ言及しておきたい。後に『タイム』や『ライフ』をはじめとするグラフ雑誌を飾るイラストレーターとして大衆的な人気を博すことになるアメリカの画家の駆け出しのころの作品のひとつである。

一般市民の日常を軽妙なタッチでとらえ、そこにユーモアやペーソス、アイロニーやシニシズムを込めるところにこの画家の最大の売りがあるのだが、ここでもうら若い一兵卒の雄姿や戦闘場面ではなくて、兵舎でのけなげにも切ないルーティンに目が向けられている。慣れない縫い針を右手に、明日はかなければならないのであろうか、自分のソックスをつくろっているのである。画面左下のティーポットからは湯気が上がっている。

おそらく彼にとって、戦場もはじめてなら、こんな経験もこれまでなかったことに違いない。タイトルにあるように、お茶を入れてくれるのも針仕事も、みんな「母さん」がやってくれていたのだから。彼の脇には戦場の番犬がいるが、これもまた家で飼っていたペットを想起させる。もしも「母さん」が今の「僕を見ていてくれた」なら、どんな気持ちになることだろうか。戦争はこんな何気ないところにもその傷跡を残していくのである。

壁に大きく投影された影は、さながら彼の死を予告するかのようでもある。西洋美術の伝統において、影は、分身や霊魂や亡霊のイメージとして描かれてきたが、おそらくそれを踏まえているのだろう。ロックウェルはここで、戦意を高揚させるのでも、あるいは敵意を煽るのでもなくて、ユーモアとペーソスを込めて、まだうら若い息子を戦地に送った母親たちの心情に訴えかけているのだ。

図2-23　ノーマン・ロックウェル《せめて母さんだけでもいまの僕を見ていてくれたなら》

†フランスとベルギーの画家たちの戦争

同じ同盟国側のフランスやベルギーにおいても、ここでぜひ取り上げておきたい作品が生まれている。誰よりもまずキュビズムの画家フェルナン・レジェ（一八八一―一九五五）を見過ごすわけにはいかない。西部戦線のヴェルダンの戦い（一九一六年）に担架兵として送られたレジェは、ある友人への手紙（一九一六年一〇月二五日付）のなかで、その「地獄」のような有様について切々と語っている。「四日間も休みなくつづいた弾幕射撃」によって、誰もが恐怖と「空腹」に苦しめられている。「精神的かつ身体的な苦痛においても、むごたらしさにおいても、これに勝るものはない」、というのだ。

また、あたりには「信じられない数の砲弾によって完全に破壊された」風景が、見渡すかぎり一面に広がっている。かつての美しい「アルゴンヌの森はもはやどこにもその姿をとどめていない」。「これが人間のやっていることで、しっかりと見ておかなければならない」。「恐るべきこの数年で人間がやった仕事がまさしくこれなのだ」。そこでレジェはその光景をデッサンに残そうとする。「はっきりした輪郭線でえぐり取られた土地、砲列、木々の先端、蛇行する塹壕」、それら「すべては奥行きのない数々の線になる」（Léger）。

レジェはここで、破壊された戦場の光景をキュビズム的なまなざしで眺めている。すなわち、対象は切り刻まれてその三次元性を解体され、周囲の空間に呑み込まれて見境がつかなくなるのである。そこにおいて際立ってくるのは、「奥行きのない数々の線」である。このまなざしは、本章の最初にふれた、「残骸」が「抽象化の素材」になるという戦場でのクレーのまなざしとも相通じるところがあるように、わたしには思われる。

レジェにあってはまた、油彩画《負傷兵》（図2-24、一九一七年、個人蔵）も示しているように、戦争の犠牲者までもがこのまなざしのもとに置かれることになる。そこでは、分割と解体によるキュビズム的手法が、さらにチューブ状の形態へと組み替えられるレジェ独自の造形性――「チュビズム」の名で呼ばれることもある――へと昇華されている。

おそらく、この抽象的な絵を見ただけで、それが負傷兵を描いているとわかる人はほとんどいないだろう。その意味では、先述したオットー・ディクスの《顔面負傷兵》における残酷なまでのリアリズムとはきわめて対照的である。とはいえ、レジェが戦場でしたためた手紙などを合わせて読むとき、このような造形表現となってあらわれてきた原因の一端をうかがうことはできる。たしかに、切断され断片化し関節を外されたようなチューブの数々は、傷ついた人体の隠喩のようにも見えてくるのだ。

図 2-24　レジェ《負傷兵》

他方、一歩兵としてやはり西部戦線に駆り出された画家ジョルジュ・ルルー（一八七七―一九五七）が、細密画のような克明なタッチによって描きだす戦場は、その名もずばり《地獄》（口絵15、一九二一年、Ｉ

WM、一三六・四×一八四・五センチ）である。あちらこちらに硫黄の炎が立ち上り、息もできないほどの熱い噴煙に包まれた戦場の塹壕には、まだ何人かの兵士が取り残されているようにみえるが、もはや彼らに救いの見込みはありそうにもない。右手前には頭蓋骨も転がっている。もちろんここには劇的な効果を盛り上げるための誇張があるとしても、戦場は画家の目に文字どおり「地獄」として映ったのだ。

かの名高い『神曲』のなかで、自分や他者に暴力をふるった者たちを灼熱地獄の圏に堕としたのはダンテだが、このことがルルーの念頭にあったかもしれない。戦争は、他者ばかりか自分たちにも向けられる暴力にほかならないのだ。その意味で戦争は自殺行為にも似ている。同じくヴェルダンの戦いを体験しながらも、ルルーのアプローチはレジェとは大きく異なっている。こうした多様性にもわたしたちは目を向ける必要があるだろう。

ベルギーの象徴主義を代表する画家アンリ・ド・グルー（一八六六―一九三〇）が遺してくれた四〇枚の連作エッチング《勝利の顔》（一九一四―一六年）も見落とすことはできない。そこには、捕虜の虐殺、罪なき人々に向けられる銃、墓を掘る捕虜たち（図2-25）、廃墟のなかをさまよう人々、横たわる死体の数々、ガスマスクの兵士たちなど、戦争の惨状と残酷さを証言する場面の数々が、執拗で神経質で混沌とした無数の線の重なりによってとらえられている。このように一見したところ不分明なスタイルの選択はもちろん意図的である。傷心しきった表情の捕虜たちの背後には、すでに数えきれないほどの十字架が立っている。

　その連作の序文には、以下のようにある。いわく、大戦は「その誘惑と衝動と取り返しのつかない力のメカニズムによって加速されて空回りする機械のとてつもない不条理」なのだ、と。けだし、至言である。タイトルの「勝利の顔」とは実のところ栄光の顔なのではなくて、反対に「恐怖の顔」であり、死に至らしめる「ゴルゴンの顔」にほかならないのである（Goddard）。

図2-25　アンリ・ド・グルー《墓を掘る捕虜たち》

　一方、一九世紀末のフランスの前衛運動ナビ派に参加したことのあるスイス出身の画家フェリックス・ヴァロットン（一八六五―一九二五）もまた、ずばり《これが戦争だ》（一九一五―一六年）と題された六枚の木版画の連作を制作している。そこでクローズアップされるのもまた、すさまじい爆発や荒れた戦場、殺し合いや転がる遺体など、戦争のもつおぞましい「ゴルゴンの顔」である。たとえばその一枚（図2-26）

図2-26　ヴァロットン《これが戦争だ》より

では、星空のもと、でこぼこの地面に張り巡らされた有刺鉄線に紛れるようにして倒れた二人の兵士の様子が、具象画と抽象画とのちょうど中間に位置するような独自のスタイルで表現されている。ここでは遺体の輪郭と有刺鉄線の曲線が絡まりあって、もはや両者の見境がつかなくなっている。

スイスは建前上は永世中立国だが、ヴァロットンは一九〇〇年にすでにフランス国籍を取得していて、一九一四年には志願したものの年齢制限で拒否されたという経歴をもつ。とはいえ、戦況には強い関心があったようで、なかでも特筆すべきは、油彩画《マイイ基地のセネガル歩兵たち》（口絵16、一九一七年、ボーヴェ、オワーズ県立美術館）のような作品である。フランスの植民地から大戦に駆り出された黒人兵たちを描いたこの絵は、ほとんど他に類例のないもので、その意味ではひじょうに貴重な証言になっている。

マイイ軍事基地は北中部フランスに位置するが、その白い雪景色のなかで黒い肌のアフリカ兵がしばしば休息する様子を、ナビ派に由来する平面的な配色で優しくとらえたところに、この絵の深い味わいがある。彼らにとって雪を見るのは初めての体験だったのだろう。おそらく敵国のみならず、味方の差別とも戦わなければならなかったに違いない彼らが、ふと息をつける短いひとときである。母国に残してきた家族のことに思いを馳せて語り合っているのかもしれない。

図 2-27　ジャンヌ・プープレと顔面負傷兵

当時一七万人ものセネガル歩兵が戦場に送り込まれ、多くの死傷者を出したというから（小川了）、彼らは、西洋の植民地主義の犠牲者でもあったのだ。この絵は、そうした黒人兵たちに暖かいまなざしを向けようとする、少なくともわたしにはそのように見える。

第一次世界大戦下における芸術家たちの多様な対応という点で、最後にぜひとも言及しておきたいのは、赤十字の救援活動に従事した女性の彫刻家、ジャンヌ・プープレ（一八七四―一九三二）の事例である。一九世紀末からカミーユ・クローデルを筆頭に、欧米で多くの女性彫刻家たちが活躍するようになるが、プープレもそのひとりである。ここでその彼女にあえて登場願ったのは、彫刻家としての手腕を存分に生かして、多くの痛ましい顔面負傷兵たちに希望の光をもたらしたからである。

すなわち、形成外科がまだそれほど発達していなかった時代に、精巧な人工補綴（マスク）を彼らに提供して、負傷前の顔を取り戻すことに貢献したのがプープレであった（図2-27）。手順はほぼこうだ。まず、負傷前の写真に基づいて再現した顔の石膏型をとって、さらにその上からシミやソバカスやホクロや髭まで含めてリアルに皮膚の表面を再現する。さらにそれを電気メッキにかけて、患部を覆う薄い銅製のマスクを仕上げるのである。

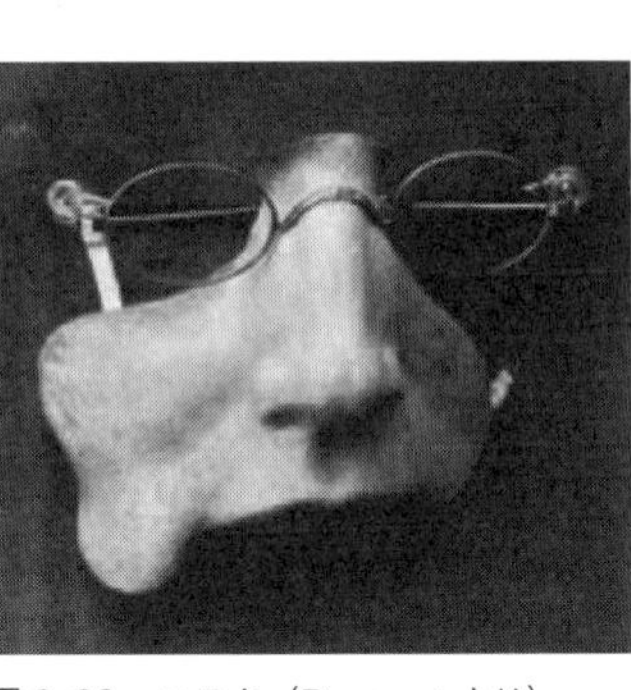
図2-28　マスク（Dussourt より）

彼女はこのマスク制作を、国際赤十字の援助も受けながら、アメリカの女性彫刻家アンナ・コールマン・ラッド（一八七八―一九三九）と共同でおこなっている。
オットー・ディクスも克明に絵に描いていたように、そして彼らの写真が平和主義のキャンペーンにも利用されていたように、負傷兵たちの顔面に刻まれた見るも痛ましい傷は、まさしく第一次世界大戦のトラウマを象徴する負のイコンであった。形成外科の進んだ今日からみると、彼女の制作したマスクは、稚拙な一時しのぎに過ぎないのかもしれないが、現在の地点から過去をはかることは禁物である。むしろわたしたちは、プープレのマスクが、どれだけ彼ら顔面負傷兵たちの体と心の傷を癒したかを想像してみるべきであろう。

ところで、リアルだが同時にどこかシュールでもあるこれらのマスク（図2-28）は、パリのヴァル＝ド＝グラース軍病院にも所蔵され展示されていたのだが（Dussourt）、未来のシュルレアリスト、アンドレ・ブルトン（一八九六―一九六六）とルイ・アラゴン（一八九七―一九八二）の二人が、ともに医学生としてこの軍病院で一九一七年にはじめて出会っているというのには、なにか因縁めいたものが感じられる。

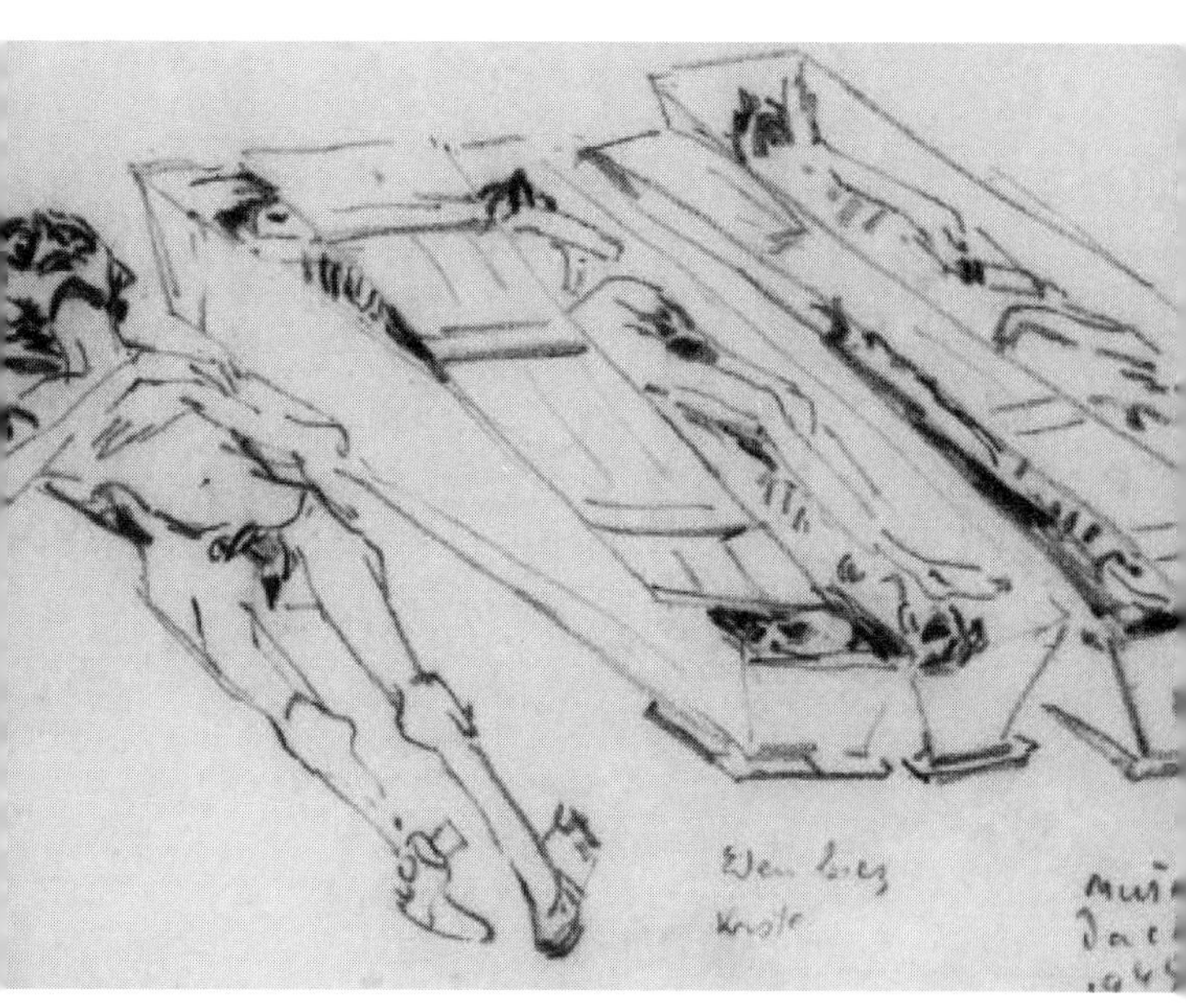

第 3 章
第二次世界大戦

ゾラン・ムシッチ《ダッハウ収容所》1945年

シュルレアリスムの理論的支柱で一九四一年にアメリカに亡命していたフランスの詩人アンドレ・ブルトンは、翌一九四二年にイェール大学でおこなわれた講演「両大戦間のシュルレアリスムの状況」において、一九一九年から一九三九年の時局を振り返りつつ、みずから先頭に立ってきたこの運動が戦争への反応として誕生し発展してきたと述べる(ブルトン『野をひらく鍵』所収)。日本空軍による真珠湾攻撃の記憶も生々しいアメリカの聴衆を意識してか、やや図式化されたきらいがあるとはいえ、たしかにシュルレアリスムと二つの世界大戦とは切り離しえない関係にある。

†マックス・エルンストと反ナチ

それをおそらくもっとも如実に体現しているのは、ドイツ出身の画家マックス・エルンスト(一八九一―一九七六)であろう。第一次世界大戦で従軍したのち、ダダイストのグループに参加するも、ヴァイマル体制下でナチスが勢力を伸ばしつつあった一九二二年にパリに移住したこの画家は、以来二度と本国に戻ることはなかった。

一九二四年にブルトンの『シュルレアリスム宣言』とともに本格的にはじまるこの運動に参加したエルンストが、第二次世界大戦の勃発によって敵性外国人のレッテルを張られて、南フランスのレ・ミル収容所に送られたのは一九三九年のことである。この収容所には、同じくナチスから逃れてきたドイツ出身の芸術家や知識人が抑留されていて、そのなかには、やはりシュルレアリスムに傾倒した画家で人形作家ハンス・ベルメールらがいた。盟友の詩人ポール・エリュアールの尽力でエルンストはいちど釈放されたものの、今度はすぐにゲシュタポに捕らえられて同じ収容所に戻されることになる（一九四〇年六月）。この危機を救ったのは米人ジャーナリストらの人道的支援で、翌年にはニューヨーク脱出にこぎつけることができた。一時決別していたブルトンとも、このときに和解している。戦後一九四八年にはアメリカ国籍を得るも、翌一九四九年に再びパリの地を踏んでいる。ちなみに、アンドレ・マッソン（一八九六―一九八七）やイヴ・タンギー（一九〇〇―一九五五）らのシュルレアリストもまたニューヨークに亡命していた。このようにエルンストの生涯は、まさに二つの世界大戦に翻弄されたものであったといっても過言ではない。

図 3-1　エルンスト《嬰児虐殺》

ドイツ時代の一九二〇年の作品《嬰児虐殺》（図3-1、シカゴ美術館）からすでに戦争の体験が深く影を落としている。フォトモンタージュに水彩とグアッシュで描かれた本作は、ヘロデ王によるベツレヘムの嬰児虐殺というキリスト教の主題をタイトルに掲げているが、廃墟となった街に影のような遺体が転がり、その上を飛行機とも鳥ともつかない奇怪で不穏な物体が飛んでいる。不気味な鳥（あるいは鳥人間）のイメージは、後にこの画家のトレードマーク――「ロプロプ」と名づけられた分身――になるものだが、すでにダダ時代の作品のなかに登場していたのである。精神分析において、「シェルショック」や「戦争神経症」が議論の俎上に上ってくる時代でもある。

複数の写真を切り貼りするフォトモンタージュ自体、エルンストも当時そこに参加していたダダイズムによって開発されたもので、ハンナ・ヘーヒ（一八八九―一九七八）やラウール・ハウスマン（一八八六―一九七一）らもこの技法を用いて、ヴァイマル共和制下の政治や社会を強烈に皮肉っていた。

一方、絵具を塗り重ねたカンヴァスに凹凸のある素材を押しつけて偶然に生まれるテクスチュアを利用するという、エルンスト独自のグラッタージュの手法で描かれた《野蛮人》（図3-2、一九三七年、ニューヨーク、メトロポリタン美術館）では、迫りくる戦争への予感が幻想的でかつ強迫的に表現されている。両手を天にかざす鳥のような女（左）に向かって、兜をつけた軟体動物のような男（右）が何やら攻撃を仕掛けているところであろうか。不気味な爬虫類のような生物がこの男の左腕に嚙みついている。これをナチスの隠喩とみるのは早計かもしれないが、男の両脚のあいだには、押しつぶされそうな人間の姿が小さく描かれている。

つづく《雨後のヨーロッパII》(一九四〇—四二年、ハートフォード、ワズワース・アテネウム美術館)になると、嵐の後ですでにディストピアと化した黙示録の光景が横一面に広がっている。でこぼこした素材の表面を転写するフロッタージュの手法によって得られたその効果は、まるで際限なく増殖する癌細胞を髣髴させるかのようである。世界はいまや悪性腫瘍と化しているのだ。フロッタージュはそれを暗示するのにまさに打ってつけの技法である。

図3-2　エルンスト《野蛮人》

画面中央には例の鳥人間がいて、この世界を憐れんでいるようにも、勝利を誇っているようにもみえる(図3-3、部分)。人間に及ばないが、人間を超えてもいるこのキマイラにしてトーテムには、両義的な役割が当てられているように思われる。この絵が描かれたのは、まだ戦争がはじまって間もないころなのだが、あたかもエルンストは最初からすでにその結末を見越しているかのようである。

ちなみに、ほぼ同じころマックス・ベックマンもアムステルダムに亡命中に《鳥の地獄》(口絵17、一九三七―三八年、個人蔵)という、強烈な色彩と荒々しいタッチの作品を描いている。そこでは、暴虐非道な空想の鳥たちが暴れまくっていて、カフカの動物寓話やヒエロニムス・ボスの絵のなかの地獄の鳥たちを連

図3-3　エルンスト《雨後のヨーロッパⅡ》(部分)

想させるところもある。

画面中央の大きな卵からは四つの乳房をもつ怪物が孵化していて、ナチス式敬礼をとっている。これに呼応して同じく右手を高く掲げる人物たちの姿も見える。鷲のモチーフはまた、八世紀のカール大帝のころより時の権力者に好まれてきた力の象徴であり、ナチスも国章に採用していた。画家は鳥の怪物たちに、権力の化身たる鷲のイメージを重ねている。画面の手前右で拷問を受けている男は、画家自身の姿であろうか。このときすでに本

国ドイツでは、ベックマンの絵はナチスによって「退廃芸術」の典型とされ、数百点が没収されていたのだった。

†ピカソと牡牛

同じくキマイラに取りつかれた画家にパブロ・ピカソ(一八八一―一九七三)がいる。頭が牡牛で体が人間のギリシア神話の怪物ミノタウロスは、この画家の分身、あるいはオルター・エゴ(もうひとつの自我)であった。とりわけ一九二〇年代末から、破壊的な衝動や性的欲望のシンボルとして、画家はしばしばミノタウロスに自己をなぞらえている。それは、まさしく《ミノタウロスの戦い》(一九三五年)と題されたエッチングが象徴しているように、ピカソ自身であると同時に、ピカソが創作を通して飼いならし闘うべき分身でもある。画家が牡牛の仮面をすっぽりかぶっているおどけた写真も残されている。伝説によるとこの牛頭人身のキマイラは、クレタ島のクノッソス宮殿の地下にある迷宮に棲んでいたとされるのだが、おりしも一九〇〇年、イギリスの考古学者アーサー・エヴァンズによって、まさにその宮殿の遺跡が発掘されたところであった。

ミノタウロスと同様、スペイン人としてのピカソは牡牛そのものにも強い愛着を抱いていた。猛々しい牡牛もまた、画家の化身でもあれば、(闘牛においてそうであるように)抑

図 3-4　ピカソ《フランコの夢と嘘》

えられ鎮められるべき相手でもある。

たとえば、スペインの独裁者でヒトラーの盟友フランコをピカソが強烈に皮肉った計一八コマからなる二枚の版画《フランコの夢と嘘》（図3-4、一九三七年、もともと各コマが絵葉書として構想されパリ万博での販売が予定されていた）では、フランコが「悪性ポリープ」になぞらえられ、牡牛がこれに対峙し闘うさまが描かれている。牡牛はまさしくスペイン人民のシンボルとみなされているのだ。この版画にはまた、倒れた馬や遺体、天を仰いで泣きさけぶ女、仰向けに倒れる女としがみつく二人の子供、赤ん坊をあやす女（あるいはわが子の死を悼んでいる女）などの姿もあって、ドイツ空軍によるバスク地方の町ゲルニカへの無差別爆撃を題材にした有名な《ゲ

図3-5 ピカソ《ゲルニカ》

ルニカ》に登場することになるモチーフが断片的にちりばめられている。

反戦画のシンボルともなっているその《ゲルニカ》（図3-5、一九三七年、マドリード、ソフィア王妃芸術センター）にもまたミノタウロスが登場している。この絵のミノタウロスないし牡牛については正反対の解釈があるようで、それによると、スペイン人民の象徴とも、あるいは逆にファシズムの象徴ともみなされる。こうしたあべこべの解釈が出てくる背景には、そもそもミノタウロスという怪物が担ってきた両義性があるように思われる。先述のようにこのキマイラは、とりわけピカソにとって、むき出しのエゴの権化でもあれば、それに立ち向かうオルター・エゴの化身でもあったのだ。とはいえ、先の版画《フランコの夢と嘘》との関連でみるなら、スペイン人民の象徴とするのがより妥当かもしれない。

一方、サルヴァドール・ダリ（一九〇四―八九）にもまた、《茹でたインゲン豆のある柔らかい構造》（一九三六年、フィラデルフィア美術館）という謎めいたタイトルの作品があって、人頭のキマイラがすさまじい力で自分自身の肉体を引き裂いているように見えるさまが描かれている。自分で自分を破壊しているところから、スペイン内戦（一九三六―三九年）のメタファーともみなされ、いみじくも絵のなかでこのシュルレアリスムの画家は内戦を予告していたという意味で、別名「内乱の予感」とも呼ばれてきた。とはいえ、これはいわば後付けの解釈で、ダリ特有の自己演出によるところが大きいという説が有力である。

†スペイン内戦とアート

ここでそのスペイン内戦に関連して、ひとりの高名な写真家と三人のマイナーな画家に言及しておきたい。スペイン内戦は、外国人義勇兵として共和国側（人民戦線）に加わった、フランスの女性哲学者シモーヌ・ヴェイユやアメリカの作家アーネスト・ヘミングウェイらにも象徴されるように、反ファシズムの立場から知識人や芸術家たちが積極的にかかわった市民戦争であったが、くわえて、共和国軍と反乱軍とのあいだで情報合戦が繰り広げられたことでも知られる。

高名な写真家とはいうまでもなく、ハンガリー出身のユダヤ人ロバート・キャパ（一九一三―五四）である。今まさに銃撃に倒れようとする人民軍兵士の一瞬をカメラに収めたとして、フランスのグラフ雑誌『ヴュ』の表紙を飾り、アメリカの写真週刊誌『ライフ』にも掲載された、通称《崩れ落ちる兵士》（一九三六年）は、ピカソの《ゲルニカ》とともにいわば反戦のイコンとなってきた。

ところが今世紀になって、すでによく知られているように、それまでくすぶっていた数々の疑念がにわかに噴出してくることになる。やらせではないかというのだ。被写体の人民戦線の兵士は実はこのとき致命傷を負ってはいないこと、本当の作者はキャパではなくて、当時彼のパートナーであったゲルダ・タローであること、撮られた場所も時間も実際に戦闘があったのとは異なること等々が、さまざまな分野の専門家たちから次々と暴きだされて、論争の決着はいまだついていないようだ。そしておそらく今後も解決をみることはないだろう。

これについて判断できる資格も能力もわたしにはないのだが、問題はおそらく、一〇〇パーセント真実か虚偽かにあるわけではない。たとえ写真であるとしても、戦争画の場合と似て、多かれ少なかれある種の演出や作為は避けられないだろう。戦争写真において、大なり小なりトリックがむしろ慣例であったことは、すでに写真黎明期のクリミア戦争や南北戦争に関連して、わたしたちも第1章で確認してきたところだ。

そもそも、どこ（誰）をどの瞬間にどの角度から切り取ってシャッターを押すのか、そのチャンスを捜し狙っているということ自体に、すでに撮り手の側の脚色が働いている。劇的な効果やアピール性を狙わないで、ただただ客観的に現実を写しとった戦争写真などありうるだろうか。写真家の側のジレンマや苦渋の選択の結果であることもあるだろう。わたしたちにもまた倫理やリテラシーが求められるゆえんでもある。

次に、三人のマイナー画家とは、いずれも今日では忘れられた存在だが、ここであえて名前を挙げておきたいドイツのハインツ・キヴィッツ（一九一〇―三八、Heinz Kiwitz）、そしてイギリスの二人の女性アーティスト、フェリシティー・アシュビー（一九一三―二〇〇八、Felicity Ashbee）とフェリシア・ブラウン（一九〇四―三六、Felicia Browne）である。

キヴィッツは、公然と反ナチを標榜したことで投獄された後、一九三七年に亡命、デンマークやフランスを転々として、内乱のスペインで夭折した表現主義の木版画家である。たとえば《ゲルニカの空爆》（図3-6、一九三七年）では、鉤十字のマークをつけたナチの戦闘機が低空飛行で市街に覆いかぶさるようにして激しい爆撃を繰り広げるさまが、粗彫りの生々しいタッチによってとらえられている。画面手前では、教会堂が破壊されていて、十字架像も無残に打ち倒されている。

キヴィッツはまた、パリで発行されていたドイツ語による亡命新聞に、「ヒトラーへの公開書簡」（一九三七年八月二七日）という記事を投稿していて、そこでは、リーメンシュナイダーやデューラーやグリューネヴァルトら、ドイツ・ルネサンスの巨匠の名前を挙げて、ドイツ美術が本来「人民から生まれ、人民とともに人民のためにある」ことを宣言している（独語版Wikipedia "Heinz Kiwitz" による）。

一方、フェリシティー・アシュビーは、アーツ・アンド・クラフツ運動の最後の世代に連なるデザイナーで、女性の視点から内戦をとらえた斬新なポスター制作を通じて人民戦線側に貢献した。たとえばその一枚（図3-7、一九三七年）では、「飢餓」「荒廃」「病気」

上　図3-6　ハインツ・キヴィッツ《ゲルニカの空爆》
下　図3-7　フェリシティー・アシュビー　スペイン人民戦線支援のためのポスター

と銘打たれた三本のミサイルが、子供を抱きかかえる母親めがけてまっすぐに落下している。母子こそがここでも、戦争犠牲のシンボルなのだ。画面の上にはまた「スペインは飢饉に直面している」とあり、下には医療用品の援助を訴える文言もみえる。それゆえ、このポスターはほぼそっくりそのまま、ルワンダ内戦の難民や、ロシアのウクライナ侵攻による難民にもまた当てはまるような普遍性をそなえている。

フェリシア・ブラウンは、シモーヌ・ヴェイユと同じく外国人義勇兵に志願した画家の卵だが、ヴェイユとは違って残念ながら志半ばにしてスペインで命を落とすことになる。この間、現地で描いた農民や市民たちのデッサンやスケッチが残されているが、その遺体は見つかっていない。わたしがここであえてこのマイナーな女性画家の名前に言及したとするなら、それは、戦争の犠牲となった無名のアーティストの卵たちを彼女によって代表してもらうためである。

†ドイツのユダヤ人画家たち

さて、ここでもういちどドイツに戻って、この国のユダヤ人画家たちに目を向けておかなければならない。

逃亡と潜伏のなか、いつ捕まるともしれない不安や恐怖と隣り合わせで制作をつづけた画家にフェリックス・ヌスバウム（一九〇四―四四）がいる。密告によってアウシュヴィッツ強制収容所に移送され、そこで無念の最期を遂げた。

その死の前年に描かれているのが、塀に囲まれてしっかりこちらを直視し、仲間や友人にだけこっそりユダヤ人としてのアイデンティティを打ち明けているかのような作品、《ユダヤ人の身分証をもつ自画像》（口絵18、一九四三年）である。上着の胸元にはしっかりとダビデの星のマークもついている。実生活においてひたすらアイデンティティを隠すことを強いられてきた画家は、こうして絵画制作のなかで自己を取り戻していたのだろうか。同様の自画像も何枚か残されている。

迫真的な本作とは対照的に、シュルレアリスムや新即物主義の影響がみられるのは、《死の勝利》（口絵19、一九四四年）である。廃墟と瓦礫のなか何体もの骸骨がラッパを鳴らしている。その足元には、数々の楽器や書物、タブローや彫刻の断片、文具類や時計などが無造作に散らかっている。つまり、戦争とともに美術や音楽、科学や技術の文明がことごとく無残にも破壊されているのだ。頭上にいくつも飛んでいる威嚇するかのような凧は、空爆を象徴しているのだろう。

骸骨と瓦礫のなか、ただひとり壊れたオルガンに向かっている頬のこけた男に、画家はおそらく自分を重ねている。その姿はまた、今日のわたしたちには、二〇〇二年の映画

『戦場のピアニスト』（監督ロマン・ポランスキー）のモデルとなった、ユダヤ系ポーランド人のピアニストでホロコーストの生還者ウワディスワフ・シュピルマンともだぶって見える。あるいはまた、ウクライナでピアノやヴァイオリンを奏でる音楽家たちもしかりである。

画面左下でしわくちゃになっている楽譜は、一九三七年にロンドンで初演されたミュージカル『ミー・アンド・マイガール』のなかの曲「ランベス・ウォーク」の最初の数節で、ダンス・ミュージックとして欧米で広く人気を博していたが、ナチスはこれを「ユダヤ的」と断罪していたという（Wikipedia "The Lambeth Walk" による）。だからこそ画家はあえてその楽譜を絵に描き込んだのだろう。

画面右下のカレンダーは四月一八日を示していて、おそらくこの絵が完成した日付をさしている。それから間もなくして一九四四年の六月二〇日に、ヌスバウムは妻とともにアウシュヴィッツに送られ帰らぬ人となったのだった。

「死の勝利」というテーマは、「死を想え（メメント・モリ）」や「死の舞踏（ダンス・マカブル）」などと並んで、とりわけ一四世紀中頃から一六世紀にかけて、ペストの大流行をきっかけにヨーロッパで広まったもので、そこでも死を象徴する骸骨たちが画面で暴れまくる。本作に漂う黙示録的で幻想的な雰囲気は、ヒエロニムス・ボスやピーテル・ブリューゲル譲りのものでもある。

ところで、これら二作を含めて、ヌスバウムが妻とともに逃走し身を潜めるなかで制作した絵画およそ一五〇点余りは、現在、画家の生まれ故郷オスナブリュックに建設された美術館フェリックス・ヌスバウム・ハウスに所蔵・展示されている。この美術館は、ベルリンのユダヤ博物館などで知られるダニエル・リベスキンド（一九四六生）の設計になるもので、一九九八年にオープンした。建築通なら周知のように、リベスキンドはホロコーストを生き延びたユダヤ系のポーランド人を両親にもつ建築家だから、この人選はもちろん偶然ではありえない。

一方、『人生？ それとも舞台？』（一九四〇―四二年、アムステルダム、ユダヤ歴史博物館）という、架空の分身に託された自伝的な絵日記ないしグラフィック・ノヴェルを遺しているのは、弱冠二六歳でやはりアウシュヴィッツのガス室に倒れたシャルロッテ・サロモン（一九一七―四三）である。シェイクスピアの名言「この世は舞台、人はみな役者」を連想させるタイトルのもと、仮面のモチーフに自分を預けるかのようにして、真実と虚構、私的なことと公的なこととを交えながら、家族との葛藤や恋愛や自殺願望などが時局とともにつづられていく。

そこに添えられるグアッシュ画の数々は、シャガールやモディリアーニ――くしくも二人ともユダヤ系である——を髣髴させるようなスタイルで、たとえば「クリスタルナハト（水晶の夜）」と呼ばれる、一九三八年にドイツの各地で起こった反ユダヤ主義の暴動や、「ユダヤ人はお前たちを裏切った。だから復讐だ」などと書かれた大きなプラカードを掲げるドイツ人のデモの様子（図3-8）なども描かれている。文学と美術をこよなく愛した彼女にはまた、オペラ歌手への憧れが強くあったようだが、その夢はガス室で断ち切られてしまった。

同じくアウシュヴィッツの犠牲となったポーランドの画家カール・R・ボデク（一九〇五—四二、Karl Robert Bodek）が、南仏のギュルス収容所に拘留されていたときに描いた小さな水彩画《春の日》（口絵20、一九四一年、一四・四×一〇・三センチ、エルサレム、ホロコースト記念館）は、一目見ただけでわたしたちの脳裏に焼きついて忘れることができない（若い画家クルト・C・レーヴとの共作とされる）。黒光りのする刺々しい有刺鉄線に、可憐な黄色い蝶が止まっている。その強烈なコントラストがまずわたしたちの目を奪う。ある春の日に飛んできたこの蝶は、死者たちの魂でもあれば、同時にかすかな希望の象徴でもあるのだろう。有刺鉄線の向こうには暗い収容所の建物が、さらに地平線の果てにはまだ雪を頂いているような山々が見えている。

ここまでこの節で取り上げることができたのは、ほんのわずかの例に過ぎない。ポーランドではまた、作家でも画家でもあったブルーノ・シュルツ（一八九二―一九四二）の名を忘れることはできないが、彼についてはすぐれたモノグラフィーを幸い日本語で読むことができる（加藤有子）。彼らの絵のなかには、それぞれの歴史（物語）がしっかりと刻み込まれていて、それを語り汲みつくすこともまたわたしたちにはできない。だが、少なくとも、絵を見ることで彼らの短い生涯に思いをはせることはできるだろう。

さらに、野村路子や林幸子の著書等でも紹介されているように、収容所の子供たちがひそかに遺してくれた貴重な絵の存在も見落とすことはできない。そこには、彼らが直面したあまりにも過酷な現実と、かなうことのなかった夢の数々が詰め込まれているのだ。

図3-8　シャルロッテ・サロモン『人生？　それとも舞台？』より

†ホロコーストの生還者たち

くわえて、強制収容所のホロコーストを生き延びたユダヤ人画家たちにも言及しておかなければならないだろう。ポーランドのヤン・コムスキ（一九一五―二〇〇二、Jan Komski）やデヴィッド・オレール（一九〇二―八五、David Olère）、チェコのディナ・ゴットリーボワ（一九二三―二〇〇九、Dinah Gottliebová）、そしてスロベニアのゾラン・ムシッチ（一九〇九―二〇〇五、Zoran Mušič）たちである。ここでごく簡単に彼らの足跡を振り返っておきたい。

コムスキは、アウシュヴィッツをはじめ五つもの強制収容所をたらいまわしにされた挙句に、最後にダッハウで米軍によって解放されたという経歴をもつ。その後一九四九年にアメリカに移住し、長年にわたって、ホロコーストの生き証人として、このときの体験を写実的な様式で数々の絵やデッサンに残すことになる。

一方、オレールはビルケナウで強制的に死体処理などの役をあてがわれたゾンダーコマンドで、一般の囚人よりややましなその待遇――ホロコースト生還者のプリーモ・レーヴィが「グレイ・ゾーン」と呼ぶもの――のためであろうか、守衛の目を盗んで収容所の様子をスケッチしたことで知られる。解放後は一九六〇年代初頭までフランスで画家として活躍し、ガス室や死体焼却場の重要な証人として貴重な作品を残すことになる。

ナチスの医者で人類学者のヨーゼフ・メンゲレによる悪名高い生体実験の一環として、アウシュヴィッツに収容されていたロマ（ジプシー）の人たちの肖像画を無理やり描かされたという異例の体験をもつのは、チェコのゴットリーボワである。結果的に彼女は、意に反してナチスに協力することになるわけだが、それは、身内や自分が生き残るための苦渋の選択だったに違いない。カラー写真がまだ普及していない時代だから、肌の色を克明に再現できる彩色画が重宝された。そのときの克明な水彩肖像画の何点かは、現在、国立アウシュヴィッツ＝ビルケナウ博物館に所蔵されている。どれもきわめてモデルに忠実で客観的に描かれているのだが、どこか憂いに沈んでいるようにも見える。彼女も戦後はやはりアメリカに渡り、ディナ・バビットを名乗った。

補足すると、同じころにアウシュヴィッツ強制収容所に一〇歳そこそこで送られていたプラハのユダヤ人エディス・バーキン（一九二七―二〇一八、Edith Birkin）は、その後イギリスに渡って、このときの忘れがたい記憶をほぼ独学で油彩画に刻みつけることになる。なかでもショッキングなのは、エドヴァルド・ムンクを連想させるような強烈な色彩と激しいタッチで描かれた《双子の収容所》（一九八九年、IWM）のような作品で、何組もの双子のペアが、有刺鉄線の向こう側でほとんど無表情のまま、わたしたちのほうに真っ黒いまなざしを投げかけている。

「死の天使」メンゲレがとりわけ双子に歪んだ興味をもっていて、その子供たちを対象に残酷な生体実験を繰り返していたことは有名な話で、当時まだ幼いバーキン――彼女本人は双子ではない――がどこまでそれを知っていたのかはわからないが、いずれにしても、

図3-9　リア・グルンディク《彼は自分を解放するだろう》

強いトラウマとなって残っていたことが想像される。五〇歳近くになって絵を描きはじめた彼女にとって、おそらくそれは癒しと喪の作業でもあったのだろう。

バーキンと同じくやはり少女時代にアウシュヴィッツを体験したオーストリア出身のロマ、セイヤ・ストイカ（一九三三—二〇一三、Ceija Stojka）もまた、そのときの記憶をたどるようにして五〇歳を過ぎてから絵を描きはじめる。指でカンヴァスに直に描く独自の素朴なスタイルで、画集も出版されている。

何度もゲシュタポに捕まって収容所送りになりながらも、そのつど脱出を果たして一九三九年にパレスチナへ亡命、さらに戦後一九四九年にドレスデンに戻ったリア・グルンディク（一九〇六—七七、Lea Grundig）が、一九三六年に制作した力強いエッチング《彼は自分を解放するだろう》（図3-9）は、さながら彼女自身の運命を映しだしているかのようである。全身をきつく縛られても、しっかりと両脚で立っていて、解き放たれる日の来ることを確信しているのだ。

ダッハウ強制収容所での経験をもとに、解放直後の一九四六年に、二四枚のドローイング集をミュンヘンで出版するのは、イェジ・ジェレンジンスキ（一九一四―八二、Jerzy Zielenzinski）である。たとえば、そのなかの印象的な一枚《いつ俺の番がくる》（図3-10）において、ほとんど闇のなかに消え入りそうな仲間の亡骸のすぐそばにいる鋭い視線の男の姿を見るとき、わたしたちは、死と直面する恐怖がいかに想像を絶するものであったか

上　図3-10　《いつ俺の番がくる》
下　図3-11　《影》
上下ともにイェジ・ジェレンジンスキ

を思い知らされる。収容所に注ぐ夕日のなか、絞首刑にされた人たちが地面に長い影を引く光景（図3-11）もまた忘れがたい。このポーランド出身の画家はこうして、いまだ記憶も生々しい一九四六年、むしろ感情を意識的に抑えたようなストイックなタッチで、トラウマ的な記憶を追体験しているのだ。

さらに、ここで逐一名前を挙げることは控えるが、生存者のなかにはまた、司令官やその家族の肖像画を描いたり、古典名画の模写をしたり、強引に贋作を描かされたりすることで、かろうじて生きながらえることのできた画家たちもいる。彼らはそうした自分たちの過去の記憶に苛まれていて語ることをためらっていたという（Rosenberg）。

強制収容所の生還者にとって、みずからの体験を証言するのがいかにつらくて困難なことであったかは想像に難くない。イタリアの哲学者ジョルジョ・アガンベンによると、そこには、自分（たち）だけが生き残ったという罪の意識のみならず、恥の意識も働いている。恥ずかしさとは、主体がみずからの内奥にあってみずからを超えた力に引き渡されるということなのだ（『アウシュヴィッツの残りのもの』）。

一方、一九四四年にダッハウの強制収容所へ送られたゾラン・ムシッチは、当時すでにイタリアとフランスで名前の知られた画家であったが、一九四五年四月二九日の解放前にひそかに描かれた収容者たちのドローイング（第3章扉の図）が数枚残されている（公式

サイト“Zoran Music Werk-Sammlung | Dachau”による)。解放直前ともなると、親衛隊による監視の目も緩んでいたために、このようなスケッチをすることができたのだろう。そのなかには、無数の遺体が山積みになっているものもある。

だが、それにしても、おそらくはみずからも同じような極限状態におかれながら、画家はどんな思いで筆をとったのだろうか。時代の証言者として後代に記録を残すためだろうか。彼らに自分自身を重ねているのだろうか。それとも、もっと本能的で無意識的な画家としての衝動からであろうか。いずれにしても、それは想像を絶することだ。

図3-12 ゾラン・ムシッチ《われわれが最後ではない》

収容所での体験は、その後のムシッチの絵画に大きな影を落としていて、やはり絵を描くことがホロコーストの犠牲になった仲間たちへの喪の作業になっていたと想像される。絵のモチーフとして何度も登場するのは、もはや亡霊のようにみえる打ち捨てられた死体や、「ムーゼルマン(回教

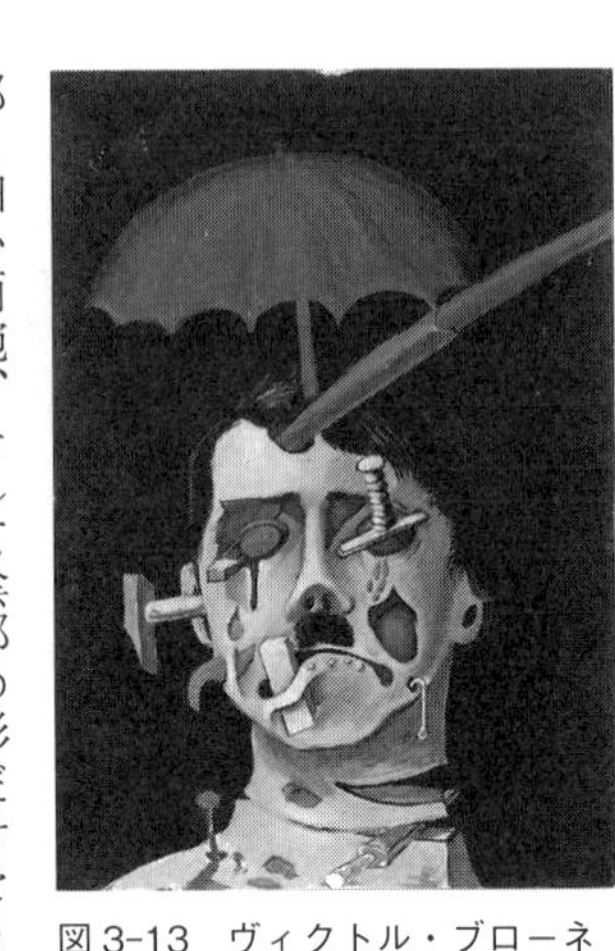

図3-13　ヴィクトル・ブローネル《ヒトラー》

徒)」と呼ばれた生きた屍の数々である。

それらは、たとえばアクリル画《われわれが最後ではない》(図3-12、一九七一年、ニューヨーク、メトロポリタン美術館)に典型的なように、戦後の美術界をリードした抽象絵画の潮流アンフォルメルのスタイルにも通じるもので、癒しがたいトラウマの貴重な証言となっている。歪んだ表情の頭部と細い両腕、そして陰部の影だけをうっすらと残すのみで、彼らはもはや生きた肉体をすっかり剥奪されているのだ。画家はこうして、死に瀕した身体を極限まで突き詰める。

なお、各地の強制収容所が連合軍によって解放されたときには、戦争画家たちもまた同行して記録を残しているが、これについては後述しよう。

もうひとり忘れてならないのは、ルーマニア出身の異色のユダヤ人画家ヴィクトル・ブローネル(一九〇三―六六)である。表現主義やダダイズムから出発し、一九三〇年代にパリでシュルレアリスムに参加、その後亡命を望んだが果たせなかったため、身を隠すようにして南フランスの小村でひっそりと制作をつづけた画家である。収容所送りにならなかったのは、まさに不幸中の幸いであった。

シュルレアリスムに感化された幻想的な雰囲気のなかにもどこか諧謔性が漂うところに、この画家の独自性があって、《ヒトラー》（図3-13、一九三四年、パリ、ポンピドゥー・センター）もそんな作品のひとつである。相貌や髪型や口髭からみて、誰もがヒトラーを連想せずにはいられない男が、釘やネジ、ハンマーや槍にこれでもかと突き刺され、ナイフで切り刻まれている。頭上のこうもり傘は御愛嬌である。予想外なものの出会いと組み合わせはシュルレアリスムお得意の手法でもあるが、それを諧謔へと昇華させてみせるところにブローネルの真骨頂がある。悪の象徴を笑いに包んで痛烈に風刺するその精神は、どこかチャールズ・チャップリンの『独裁者』（一九四〇年）とも一脈通じるところがあるように、わたしには思われる。

ところで、本節にマルク・シャガールの名前が挙がっていないことに気づかれた読者もいるかもしれない。彼は無事一九四一年にニューヨークへの亡命を果たしている。ブローネルもまた同じときにアメリカへの亡命を望んでいたが、すでに名声を博していたシャガールとは違って、無名だった彼はアメリカ側からビザの発給を拒否されたため出国できなかったという経緯がある。フランスに留まらざるをえなかったブローネルの逃亡生活に、詩人のルネ・シャールが援助の手を差し伸べたこと、さらにピカソも間接的に支援していたことが知られている。

†イギリスの反応

さて、このあたりで連合国側のアーティストたちの反応に目を転じてみよう。何よりもまず先に取り上げておかなければならないのは、彫刻家ヘンリー・ムーア（一八九八—一九八六）が残しているロンドンの地下鉄での貴重なスケッチの数々である。一九四〇年九月から翌年五月までつづいたドイツ空軍によるロンドン大空襲（ザ・ブリッツ）において、地下鉄が防空壕の役目を果たしたことはよく知られるエピソードだが、ムーアはその有様をペンや水彩、クレヨンやグアッシュなどでスケッチしているのである。

その視点は実に多彩で、後ろに引いて遥か遠方まで見渡すものから、対象に近づいていってクローズアップするものまでさまざまである。たとえば、長い地下鉄の線路の両側に無数の避難者たちが身を横たえているところを波打つ線描でとらえた一枚（図3-14、一九四一年、ロンドン、テート・モダン）は、わたしたちに事の深刻さを想像させないではおかないだろう。ムーアはここで、ひとりひとりの姿勢や仕草をしっかりと描き分けている。これにたいして、避難して寝入っている家族に肉薄するスケッチ（図3-15）からは、いつ止むともしれない空爆のもと、彼らの疲労困憊の跡が手に取るように伝わってくる。

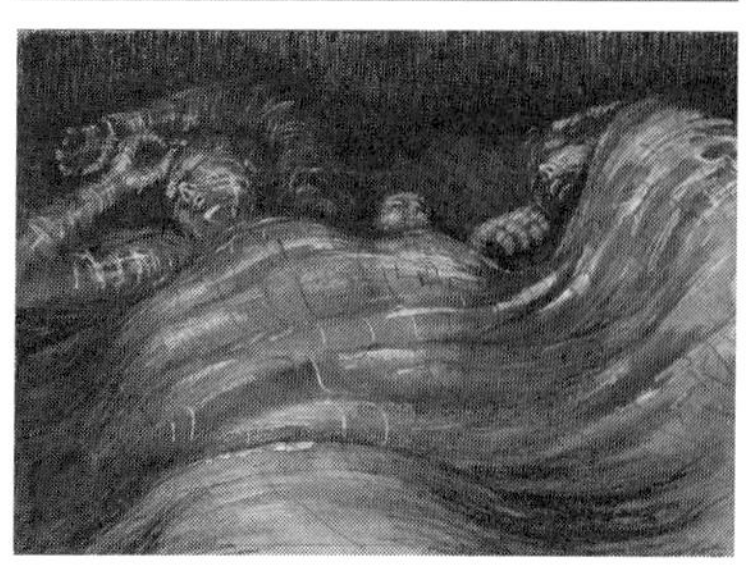

右上　図3-14
下　図3-15
左　図3-16
3点ともに、ヘンリー・ムーア《地下鉄のシェルター》より

この地下シェルターにおいても、いちばんの犠牲となるのは、やはり幼児とその母親たちである（図3-16）。膝の上の食器のなかにはもはや何も残っていないのではないか。彼女は右手を胸に当てているのだが、母乳はちゃんと出ているのだろうか。その子の父親はいま戦地にいるのだろうか。一枚のスケッチからだけでも、わたしたちの想像は膨らんで

いく。その独特のタッチによって、彼らはまた、まるで全身に包帯を巻かれたミイラのようにさえ見える。

これらのスケッチが、地下鉄の現場での実写によるものなのか、それとも記憶や写真に基づいてアトリエで描かれたものなのかについては、異論が残るとしても（おそらく後者の可能性のほうが高い）、この際それはさして重要ではない。また、相手国への憎しみや敵意を煽ろうとして、ムーアがこのようなスケッチを描いたとも思われない。戦争が広く長く一般市民を犠牲に巻き込んでいくことを、これらは控えめだが確実に証言しているのである。

一方、ロンドン大空襲を地上からとらえた油彩画の例として、公認戦争画家であったグラハム・サザーランド（一九〇三―八〇）の《廃墟》（一九四一年、ロンドン、テート・モダン）を挙げておきたい。ここに描かれたイーストエンド一帯は、いまでこそアートやファッションの中心になっているようだが、当時はロンドンの貧しい場末であった。激しい空爆の直後、その一帯は真っ暗な闇に包まれてもはや見る影もない。このモダニズムの画家はそれを、克明に再現するというよりも、むしろ幾何学的な様式によって抽象的にとらえ、無人と化した街の陰鬱で暗澹たる雰囲気を伝えようとする。画面の中心に消失点のある遠近法の空間のなか、どこまでも無限につづくのは、色を失った廃墟以外の何物でもないのだ。こうした作品にもまた、敵愾心を煽ろうとする下心があったようには思われない。同じくジョン・パイパー（一九〇三―九二）がとらえた大空襲の爪痕もまた、戦意を高揚させるというよりも、戦争の愚かさを示唆しているようにみえる。

ちなみに、ここで付言しておくと、戦争画家の選出にあたって重責を担っていたのは、当時ロンドンのナショナル・ギャラリー館長を務めていた高名な美術史家ケネス・クラーク（一九〇三―八三）で、数々の翻訳等を通じて日本でもおなじみの人物である。古今東西の多彩な美術にひときわ精通し、名文家としても知られるこのヒューマニストにしてコスモポリタンは、おそらく戦争画家たちに、お仕着せの一様なメッセージを求めるのではなくて、相対的な表現の自由を保障していたのではないか、とわたしは想像している。

世界に名だたるナショナル・ギャラリーの膨大なコレクションは当時、ウェールズやグロスターシャーなど、イギリス各地の安全な場所に分散して保管されていたが、そのなかから「月間の作品」と銘打って月に一点ずつ名画を選び、主役たちを失ってもぬけの殻となった寂しい美術館に里帰りさせて一般市民に公開するという斬新なアイデアを実践したのがクラークであった。彼はまた、ロンドンの各コンサートホールがやむを得ず一時閉鎖に追い込まれるなか、美術館をコンサート会場として広く市民に開放していた。そこでは、バッハやベートーヴェン、ブラームスなどドイツの大作曲家たちの曲も変わらず演奏されていたのだ(これらについてわたしは以前に、クラークの『名画とは何か』がちくま学芸文庫に入ったおり、「ケネス・クラーク再訪」という解説のなかでもう少し詳しく触れたことがあるので、そちらを合わせて参照していただけると幸いである)。

ポール・ナッシュが第一次世界大戦で公認戦争画家だったことは前章で述べたが、第二次世界大戦においても同じ任務に選ばれていて、そのときと似たようなことがやはり起こっている。つまり、必ずしも戦意高揚のプロパガンダにつながるとは思われないような戦争画を描いているのである。たとえば、《死の海》(口絵21、一九四〇―四一年、ロンドン、テート・モダン)はその好例である。

遠く地平線のかなたまで一面に広がるのは、撃沈されたとおぼしき数々の戦闘機の残骸である。そこからはもはや、在りし日の雄姿を想像することなどできそうにもない。その残骸の翼に、ナチ党の鉤十字や鉄十字が記されているところから、これらがドイツ空軍のものであることがわかるのだが、Bの大文字も見えるので、英空軍のものも含まれているのではないかと想像させる。戦争がもたらす惨劇に、もはや敵と味方の区別はないのだ。わたしの勝手な読み込みかもしれないが、ナッシュの絵にはそうしたメッセージが込められているように思われる。

よく指摘されるように、この作品は、その構図や冷たい色調、さらに「死の海」というタイトル自体――ナッシュはあえてドイツ語でTotes Meerと付けている――も含めて、ドイツのロマン主義を代表する風景画家、カスパー・ダーヴィト・フリードリヒの《氷の海》（一八二三―二四年、ハンブルク美術館）からの影響がはっきりと認められる。北極海の氷塊と岩礁に座礁した船の残骸を描いたフリードリヒの絵にはまた、ナポレオン戦争後の混乱した政治状況にたいする批判の意味が象徴的に込められているという解釈がある。その真意はどうであれ、同じ風景画家としてナッシュはここで、敵国ドイツの大先輩にある種のオマージュを捧げているようにすら見えてくるのだ。いずれにしても、くりかえしを恐れずにいうなら、この絵は英国空軍をたたえ鼓舞するプロパガンダではありえない。

†解放直後の強制収容所

第二次世界大戦も終盤になると、一九四五年の一月から四月にかけて、アウシュヴィッツ、ブーヘンヴァルト、ダッハウ、マウトハイゼン、ベルゲン＝ベルゼンなど各地の強制収容所が連合軍の手によって次々と解放されていくことになるが、そこにもやはり戦争画家たちが同行していて、想像を絶するその惨状をスケッチすることになる。

なかでも、英国軍によって解放されたベルゲン＝ベルゼン強制収容所については、レスリー・コール（一九一〇―七六）、エドガー・エインズワース（一九〇五―七五）、エリッ

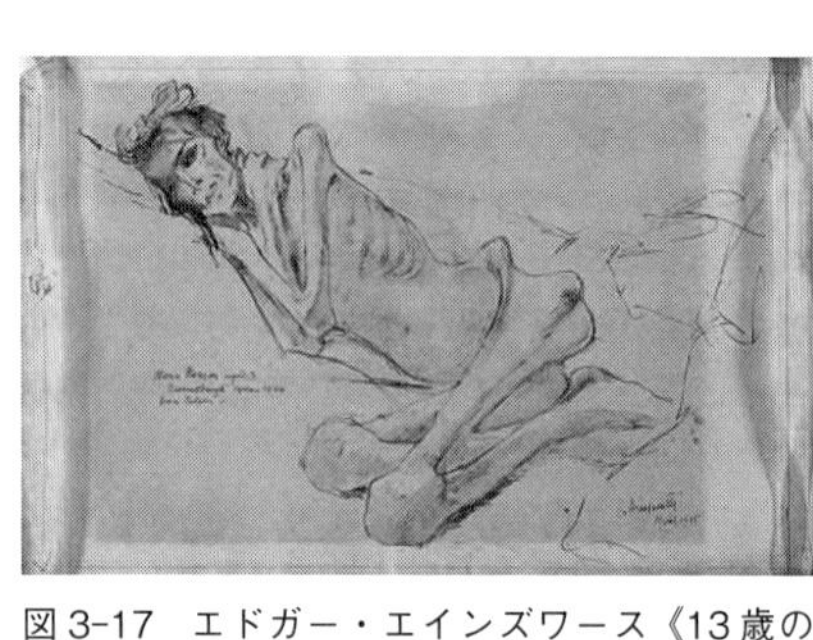

図3-17　エドガー・エインズワース《13歳の少女》

ク・テイラー（一九〇九―九九）ら、公認戦争画家たちによる記録がロンドンの帝国戦争博物館（ＩＷＭ）を中心に残されていて、目を覆いたくなるような光景の数々を彼らができるだけ忠実に伝えようとする意図がうかがわれる。

　やせこけた瀕死状態の「ムーゼルマン」（図3-17）、何かに憑かれたかのようにおぼつかない足取りで歩く女性の収容者たち（図3-18）、放置されたままの数えきれないほどの遺体が巨大な穴に埋められていく様子（図3-19）など。

　骨と皮だけになったエインズワースの少女は、しかし、両目をしっかりと見開いていて、わたしたちに何かを訴えかけているようだ。一方、コールの二枚の水彩画では、地平線がはるか彼方にまで際限もなく広がっていて、収容所の規模の大きさ、つまりは残虐な行為の果てしなさを、いやがうえにも印象づけないではいない。

　これらがもしも写真だと（実際にもちろんカメラも入っている）、わたしたちは思わず目を覆うかそらすかしてしまい、拒絶反応を起こしかねないのだが、絵になるとその衝撃は幾分か和らいで、引きつけられるまま見つめつづけることもできるようになる。

この持続の時間は同時に、画家が対象に向きあい見つづけて描いた持続の時間でもある。カメラだと、シャッターの一瞬で終わってしまう。画家たちもまた、写真家とは異なる自分たちの使命をはっきり自覚していたに違いない。写真はしかも、後々に故意のトリミン

上　図3-18《女性収容所》
下　図3-19《ベルゼンの死体の穴》
上下ともにレスリー・コール

グや配列やキャプション操作などを巧妙に組み合わせて悪用され、「アウシュヴィッツはなかった」などとでっち上げられることにもなるが（南京大虐殺の場合にも同様のことが起こっている）、絵画ではそうはいかないだろう。

オーストラリアから参加したアラン・ムーア（一九一四―二〇一五）のスケッチ（図3-20、一九四五年、キャンベラ、オーストラリア戦争記念館）では、まだ囚人服を着せられたままの盲目の男が、地面に転がる幾人もの遺体のあいだを縫うようにして、こちらのほうに近づいてきている。画家はそれを迎え入れるようにしてじっと見つめているのだ。

図3-20　アラン・ムーア《ベルゼンの盲人》

そうした画家のなかにはまた女性もいた。メアリー・ケッセル（一九一四―七七）はそのひとりである。彼女が解放後のベルゲン＝ベルゼン強制収容所で残した印象的なスケッチ（図3-21）は、これまでのものと少し様子が違っている。そこに描かれているのは、おそらく女性か子供の「ムーゼルマン」と思われるのだが、先にみたゾラン・ムシッチの絵にも通じるような、アンフォルメル風の抽象的な表現になっているのである。地の面を赤一色のクレヨンで塗りつぶし、人体の部分だけを白く残して、そこに引き裂かれた衣襞とおぼしき抑揚をつけている。その姿はまるで亡霊か人影のようにも見える。

背景の描写が一切ないため、その絵の制作状況を知らないかぎり、誰がいったいなぜこんな姿で描かれているのかを推し量ることは困難である。とはいえ、わたしたちが目にしているのが、尋常の人間の状態でないことは容易に想像がつく。同じことはまた、彼女の残したもう一枚のスケッチ（図3-22）にも当てはまる。この絵のモデルは、ひざまずい

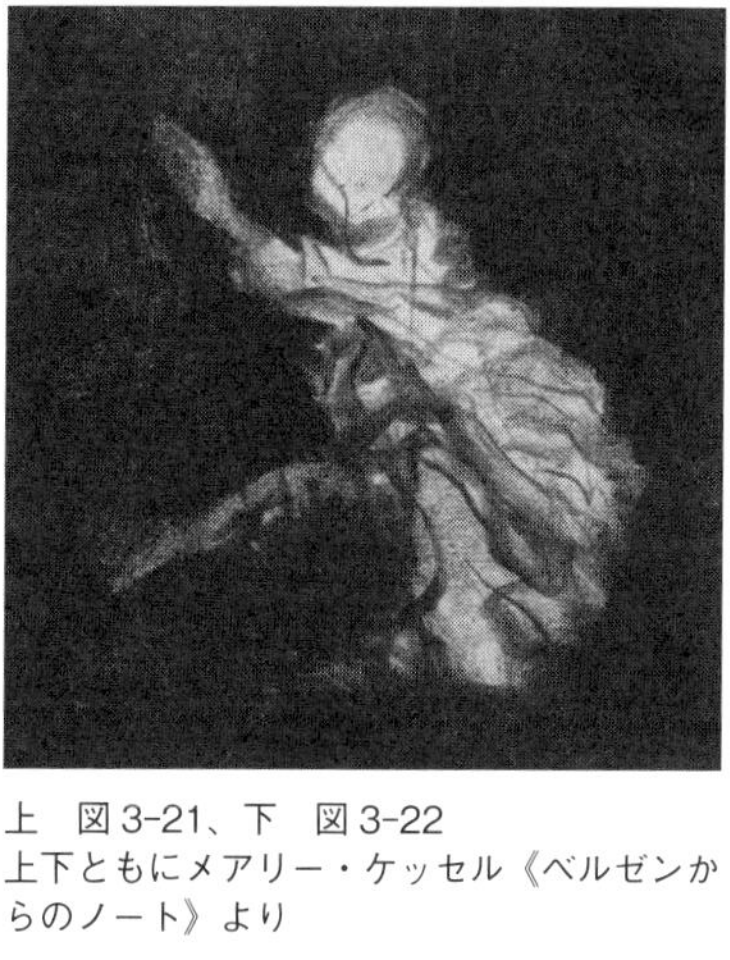

上　図3-21、下　図3-22
上下ともにメアリー・ケッセル《ベルゼンからのノート》より

て何かを訴えているようにも、あるいは祈っているようにも見える。いずれにしても、顔の表情も含めて説明的なことはすべて省かれていて、赤い血か炎に囲まれる「ムーゼルマン」の身体にひたすら焦点が当てられているのだ。それはあたかも、ホロコーストの悲劇を伝達するうえで、写真のような写実的スタイルよりもむしろ、暗示的で比喩的なスタイルこそが有効なのではないか、とわたしたちに問いかけているようでもある。

ケッセルはまた、ハンブルクやベルリンなど敗戦ドイツの諸都市も訪れていて、《ベルリンの駅の母と子》(図3-23、一九四五年、IWM)のように、貧困や飢餓や寒さにあえぐ母子たちの姿に暖かくも鋭いまなざしを注いでいる(Foss)。頬がこけた母親の険しい両目と、憔悴した幼児の両目との対比が印象的なデッサンである。敵国であるとはいえ彼らもまた、まぎれもなく戦争の犠牲者なのだ。

アメリカからは女性写真家のリー・ミラー(一九〇七―七七)が、解放後のダッハウやブーヘンヴァルトの強制収容所を訪れてカメラを向けているが(そのなかには自殺したナチス親衛隊の看守の写真もある)、彼女の作品で特筆すべきはむしろ、《アリアを歌うイルムガルト・ゼーフリート》(図3-24、一九四五年)のような詩情豊かな写真である。終戦直後のウィーンの歌劇場の廃墟をバックに、プッチーニの『蝶々夫人』のアリアを熱唱するドイツの著名なソプラノ歌手を逆光のなかにとらえた美しいその映像は、撮り手であるミラー本人の意図はどうであれ、何よりも平和の尊さをわたしたちに訴えかけないではいない。

†レジスタンスの画家たち

ところで、ピカソもまた、強制収容所のイメージが重ねられていると思われる作品を描いている。《納骨堂》(図3-25、一九四四―四五年、ウィーン、アルベルティーナ美術館)と題された、ほぼ白黒の単彩の油絵がそれで、ドイツ占領から解放された直後のパリで着手されたものだが、未完成のままに残されている。輪郭だけが取られた画面上部の静物モチ

上　図3-23　メアリー・ケッセル《ベルリンの駅の母と子》
下　図3-24　リー・ミラー《アリアを歌うイルムガルト・ゼーフリート》

図 3-25　ピカソ《納骨堂》

ーフを除くと、大半は折り重なり山積みになった無残な死体の数々で、いやがうえにもホロコーストを連想させないではいない。一九四六年にパレ・ド・トーキョーで開催された展覧会『芸術とレジスタンス』に出展されている。

最後に本章を閉じるにあたって、ナチ・ファシズムにたいするレジスタンス運動に直接・間接にかかわった画家たちに登場願うことにしよう。もちろん作家や知識人らとともに、少なからぬ芸術家がそこに名前を連ねているのだが、ここでは、フランスからジャン・フォトリエ（一八九八―一九六四）、イタリアからレナート・グットゥーゾ（一九一一―八七）に代表してもらおう。というのも、二人のアプローチは興味深い対照を見せているからである。

ピカソの《ゲルニカ》からの影響をはっきりと刻印させているのは、グットゥーゾの作品である。ナチ・ファシストによるパルチザン殺害を描いた《虐殺》（図3-26、一九四三年、フィレンツェ、現代美術館）が、このことを雄弁に物語っている。とはいえ、シチリア出身のこの画家は、ピカソのような抽象性に訴えることは避けて、強烈な色彩のコントラストと激しい筆致によって、もっとストレートかつ具体的に怒りの声をカンヴァスにぶつけている。慟哭する女の眼下には、もはや判別のつかない死体の数々が折り重なっていて、画家はそれらの四肢を黒くて強い輪郭線によって強調している。

図 3-26　グットゥーゾ《虐殺》

同じく一九四一年の《磔刑》（ローマ、近代美術館）では、十字架のキリストに託して、ファシズムの暴力が告発される。それはもはや遠い昔の言い伝えとしてではなくて、まさしく同時代の悲劇的な出来事としてとらえられているのだ。裸で十字架に抱きつく女は、図像的にはマグダラのマリアに対応しているが、グットゥーゾの絵では、犠牲にされる男の妻か母親の化身でもありうるだろう。いななく馬の描写には、ピカソの《ゲルニカ》からの影響がはっきりと認められる。

　ちなみに同じころ、彫刻家のジャコモ・マンズー（一九〇八―九一）もまた、ブロンズ製の浅浮き彫りによる《磔刑像》の連作（一九三九―四六年）によって戦争を告発していた。そこで磔の憂き目にあっているのは、イエスその人というよりも、人間性一般である。このように、戦争の暴力を十字架のキリストに代弁させるという手法は、彼ら作者の個人的な信仰は別にして（グットゥーゾはコミュニストで、マンズーは敬虔な信者だった）、いかにもカトリックの国のアーティストらしい。にもかかわらず、マンズーもまた当時、ファシズム政権からのみならずヴァチカンからも睨まれていて、これらの浮き彫りがミラノの画廊で展示されたときには激しい攻撃にさらされたという。周知のように、ヴァチカンはムッソリーニと密約――一九二九年のラテラノ条約――を結んでいたのだ。

　一方、ナチ占領下（一九四〇―四四年）のパリでひそかに制作され、解放後に公開されたのは、フォトリエの《人質（の頭部）》の連作（一九四二―四五年）である。ここに込められるのは、ナチスの報復によって虐殺されたレジスタンスの犠牲者たちへの深い弔いの念である。それは、グットゥーゾの激しい怒りの表現と好対照をなしている。

　この連作はいずれも、たとえば《人質の頭部No.14》（図3-27、一九四四年、ロサンゼルス現代美術館）のように、ナチ親衛隊によって拷問を受けたり殺害されたりした「人質」の頭部の正面やプロフィールをとらえたものだが、たいてい目や口や鼻らしきものの輪郭がそれとなく示されるだけで、ほとんど抽象的なスタイル――アンフォルメルの名で総称される――で描かれている。

それらはどこか、「ヴェロニカの聖顔布」と呼ばれる、キリスト教美術の図像を連想させるところがある。古い言い伝えによると、十字架をかついでゴルゴタの丘に登るキリストに歩み寄ってきて、布でその顔をぬぐったヴェロニカなる女性がいたとされる。するとその布には、キリストの顔がぼんやりと浮かび上がってきたというのだ。キリストの血と汗の痕跡ともいえるその布は、中世以来しばしば絵のテーマにもなってきた。フォトリエの「人質」の連作はおそらくこの図像を踏まえている。キリストもまたユダヤ人の犠牲者だったのだ。

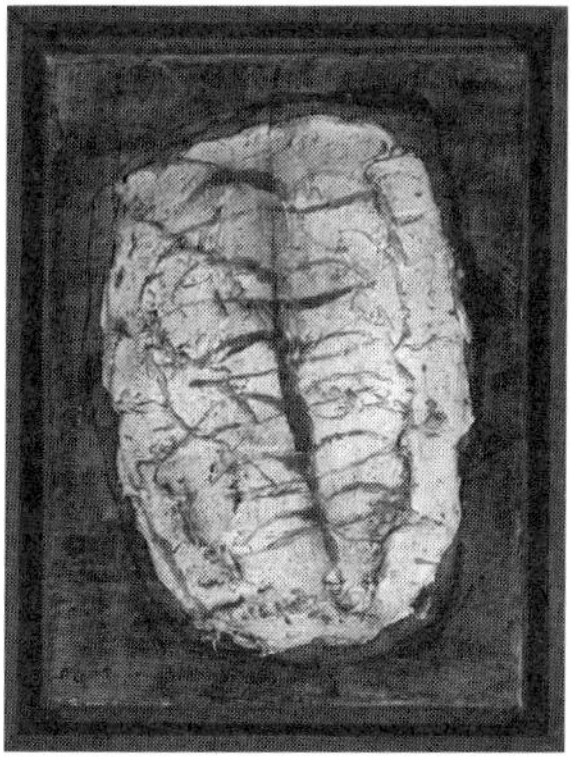

図3-27　フォトリエ《人質の頭部 No. 14》

フランスでもイタリアでも、ナチが自分たちの死者の何十倍もの人間を見せしめとして虐殺したことはよく知られている。とはいえフォトリエは、グットゥーゾとは違って、あからさまな暴力や拷問をストレートに画面にのせることはあえて控えている。これに代わって表面化してくるのは、厚塗りの油絵の具のでこぼこした筆触や亀裂である。それらはあたかも、人質たちの身体に加えられた暴力の痕跡を暗示しているかのようにもみえる。この画家は、出来事の描写よりもむしろ、絵の具とタッチというマチエールの処理そのものがもつ表現の幅にこだわっているのである。

　じっと耳を澄まして見ていると、その厚いマチエールの下から、彼らの低いうめき声やささやきのようなものが聞こえてくるようにさえ思われる。グットゥーゾの絵が怒りの美だとすると、フォトリエの絵はおののきの美である。フォトリエのこのシリーズは、暴力それ自体を描くことなく、戦争の暴力をいかに表象し伝えることができるかのひとつの可能性を見せてくれるのだ。

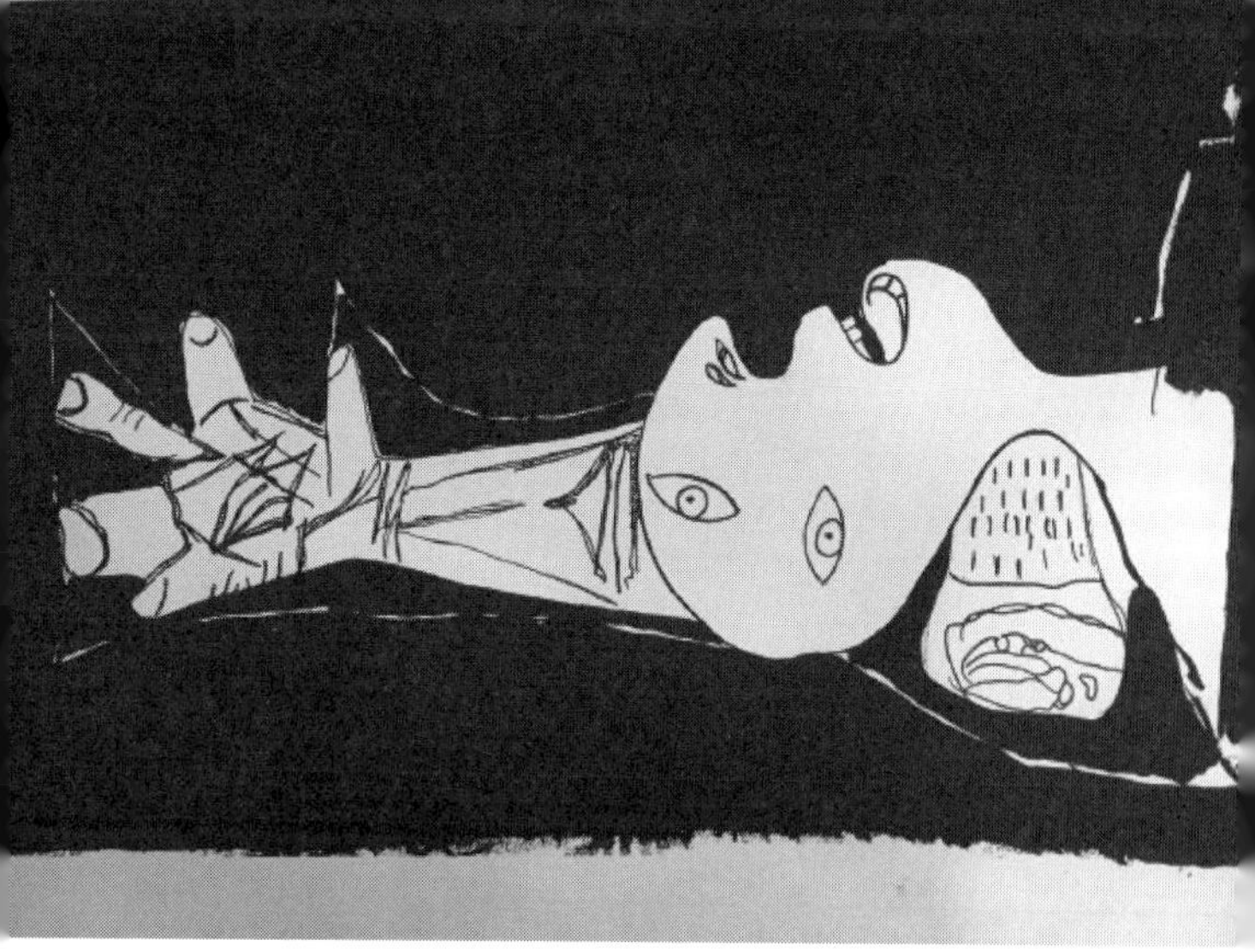

第 4 章

ベトナム戦争とその後

ベトナム反戦のポスター（1970年、ピカソの《ゲルニカ》のモチーフによる）

写真という新しいメディアが一九世紀半ばに登場して以来、戦争といかにかかわってきたか、ここまでの章で簡単に振り返ってきた。とはいえ、反戦という観点からみて写真がもっとも大きな力を発揮したのは、おそらくベトナム戦争をおいてほかにないであろう。このとき、従来のような軍公認のカメラマンとは別に、フリーランスのカメラマンたちが活躍をはじめるのだ。それを後押ししたのは、ロバート・キャパやアンリ・カルティエ＝ブレッソンらそうそうたるメンバーが中心となって一九四七年に設立された、国家から独立した報道写真家の国際的な組織マグナム・フォトであった（現在もつづいている）。

†ベトナム戦争のイコン

いみじくもフォトジャーナリズムの黄金時代（一九六〇—七〇年代）とも重なるベトナム戦争には、これを象徴するイコンとも呼びうるようなセンセーショナルな写真がいくつも存在している。米軍による空爆を逃れて四人の子供たちとともに川を渡る母親をとらえた沢田教一（一九三六—七〇、三四歳の若さで惜しくも戦場に倒れた）の《安全への逃避》（一九六五年）はそうした一枚である。彼らは川面からかろうじて頭だけを出していて、いまにも流れに呑み込まれてしまいそうだ。何重もの危険が彼らに襲いかかっているのである。

南ベトナム政府にたいする抗議のために、ガソリンをかぶって焼身自殺する六六歳の僧侶（ティック・クアン・ドック）を撮影したのは、アメリカの写真家マルコム・ブラウン（一九三一―二〇一二）である。勢いよく立ち上る炎に僧侶は全身を包まれているのだが、その右半身が火炎のなかにかろうじて垣間見えていて、信じられないことにも、しっかりと座禅を組んだまままたじろぎもせず、その表情も落ち着きを失っていない。こうして、その抵抗の意志がいかに強くて固いかをわたしたちに印象づけるのだ。

これだけではない。サイゴン市街で至近距離からピストルを突きつけられるベトコン（南ベトナム解放民族戦線）の男の恐怖でゆがんだ表情をとらえたエディ・アダムス（一九三三―二〇〇四）の写真（一九六八年）。さらに、米軍兵士によるソンミ村虐殺事件に取材したロナルド・L・ヘーバールの写真（一九六八年）なども忘れることはできないだろう。後者では、畔道に転がる非武装の住民の遺体の数々――とりわけ女性と子供――が目線の高さから俯瞰されている。全員が裸足のまま折り重なるように倒れていて、突然の暴挙にあわてて逃げだしたのだろう。おそらくこれは氷山の一角で、ほかにも同じような民間人の虐殺があったに違いない、この写真は、いやがうえにもそんな想像を誘わないではいない。

またこの写真のカラー版は、翌年一九六九年に反戦ポスター（図4-1）としても使われ、広く流布することになる。ポスターでは、写真の上から、「問、赤ちゃんまでも？」「答、赤ちゃんまでも」という文言が赤い血の色で大きく書かれ、子供や女性だけではなくて、乳児さえもが犠牲にされたことが強調される。この問答は、当時、アメリカのテレビ局CBSのニュース番組の当事者へのインタヴューからとられたものである。

が、これらにもまして何よりベトナム戦争の非道と不条理を代弁してきたのは、通称《ナパーム弾の少女》（一九七二年）と呼ばれるショッキングな写真である。ほかでもなくベトナム出身でアメリカ在住の報道写真家ニック・ウト（一九五一生、本名フィン・コン・ウト）によって撮られたその写真は、米軍の支援を受けた南ベトナム政府軍によるナパーム弾を逃れて、カメラの方に向かって泣き叫びながら走ってくる五人の子供たちの恐怖、パニック、痛みの劇的瞬間をとらえている。

とりわけ、着ていた服を焼かれて火傷を負った真ん中の裸の少女は、戦争の恐怖と残酷さの犠牲となるのが弱者であることを強く印象づけるシンボルとなってきた（後に彼女ファン・ティー・キム・フックはカナダ国籍を取得し平和運動家となった）。子供たちの背後にはベトコンとおぼしき兵士の姿もみえるが、彼らは軍服と兵器に守られていて逃げる気配はない。両者のコントラストがむごたらしさをいっそう際立たせる。さらにその後ろにはナパーム弾の黒い煙がいっぱいに立ち込めている。

ちなみに、ナパーム弾はアメリカの化学メーカー、ダウ・ケミカル社によって開発・製造された破壊兵器で、ベトナム戦争時に大量生産された。その後はその非人道性と残酷性から公式には廃棄処分されたようだが、イラク戦争などでもくりかえし使われたという疑いのかかるいわくつきの代物である。

図4-1　ベトナム反戦のポスター《赤ちゃんまでも》

さて、これらの写真はもちろんアメリカのみならず世界中に届けられ、しかも多くがピューリッツァー賞などに輝いて国際的にも話題となったから、ベトナム反戦運動の盛り上がりにも一役買うことになる。さらにこのリストに、イギリスからフィリップ・ジョーンズ・グリフィス（一九三六―二〇〇八）、ラリー・バローズ（一九二六―七一）やティム・ペイジ（一九四四―二〇二二）らの写真家の名前を加えてもいいだろう。若くして東南アジアに身を投じた独学のティム・ペイジはまた、ベトナム反戦映画として広く知られるフランシス・コッポラ監督の『地獄の黙示録』（一九七九年、原題は「アポカリプス・ナウ」）に登場するややエキセントリックな写真家のモデルともされる。

フリーランスの写真家たちが伝えるこうした現実にたいして、テレビや新聞などで報道される政府声明との隔たりがますます表面化してくると、両者の食い違いや政府への不信感をさして、「クレディビリティ・ギャップ」という言葉が流布するようになるが、これもまた一九六〇年代後半のことである。直訳すると「信憑性の落差」となるだろうか。このギャップはしかし、接する情報源の違いによって世代間に横たわるものでもある(ロシアによるウクライナ侵攻の状況がまさにこれに当てはまる)。

さらに、言語学者のノーム・チョムスキーやドイツ出身でユダヤ系の哲学者ヘルベルト・マルクーゼに代表されるように、「知識人の責任」が問われるようになる時代でもある。日本でも、いわゆるベ平連、正式には「ベトナムに平和を!市民連合」が哲学者の鶴見俊輔や作家の小田実を中心に組織されたことはまだ記憶に新しい。作家の開高健も現地ルポルタージュ『ベトナム戦記』(一九六五年)を上梓して話題となった。

†スーザン・ソンタグの反応

ところが、そうした惨劇をとらえた一連の戦争写真に疑問を投げかける作家にして批評家がいた。スーザン・ソンタグ(一九三三―二〇〇四)である。一九七三年のエッセー

「プラトンの洞窟で」(一九七七年の『写真論』に所収)のなかで披露されるその見解は、過去と現代の文化や芸術に広く通じ、ベトナム戦争にも反対していたアメリカの左派のオピニオンリーダーから発せられたものだっただけに、ある意味で意外性をもって受け止められることになる。

このエッセーで彼女は、東欧ユダヤ系の米移民を両親にもつみずからの過去を振り返りつつ、十代の前半にはじめてベルゲン＝ベルゼン強制収容所とダッハウ強制収容所の解放時に撮られた写真を見たときの衝撃について語る。それは自分の人生を二分したのだ、と。ロラン・バルトの写真論『明るい部屋』の名高い言い回しを借りるなら、彼女はこのとき、まさしく写真に突き刺され心身を揺り動かされる「プンクトゥム」を体験したのだ。

たしかにソンタグは、写真のもつ力をはっきりと認識している。その意味では、カメラと銃とのあいだにはある種の親和性がある。だからこそ彼女は、それだけいっそう写真が孕む危険性にも敏感であろうとするのだ。写真はわたしたちを突き刺して麻痺させる。感情や感傷は理解を妨げ曇らせるかもしれない。とりわけ、最初はショックを受けるとしても、雑誌やテレビで見慣れてくると免疫ができてしまうだろう。写真はいまやメディアによって搾取されているのだから。

ソンタグの論調はメランコリックで悲観的でさえある。写真はもはや、わたしたちの倫理的な応答や政治的な解釈に訴えうるものではなくなった。写真をみるわたしたちは、その写真がとらえている恐怖を完全に理解することはできない。その恐怖を生きて経験した者でなければ、本当に何が起こっているのかを知ることはできないのだ。裁判や報道に関連してセカンド・レイプという言い回しがあるが、これにならうなら、戦争犠牲者たちの写真は、被写体にされて衆目にさらされることで、もういちど痛めつけられているのではないか。彼女がここで問いかけるのは「見ることの倫理」であり、求めるのは「映像のエコロジー」である。

ところが、ボスニア・ヘルツェゴビナ紛争とアメリカ同時多発テロ9・11を経験したのちに出版され、ソンタグの遺作ともなった二〇〇三年の『他者の苦痛へのまなざし』では、その論調にいくらか変化が生じている。彼女はここで、現実そのものがいまやスペクタクルやシミュラクルのようなものと化しているという、一九八〇年代から流行ってくるポストモダン的な主張にあえて異を唱える。もしも本当にそうだとすると、オリジナルな現実というものはどこにもなくて、あるのはただコピーの連鎖だけだということになってしまいかねないだろう。「それはかたくなに、不真面目に、世界には現実の苦しみは存在しないことを示唆する」。

ところが事実はその逆である。世界を見渡すと、現実の恐怖そのものが鎮まる気配は一向にないうえに、その映像をある程度まで制限して衝撃力を保っておこうとする「映像のエコロジー」が生まれる気運もない。かつての『写真論』ではもはや太刀打ちできないことを、彼女ははっきりと自覚している。

では、何が求められるのか。他者の苦しみの映像を前にして、いまここでこうして写真を見ているわたしたちの「特権」こそが、「彼らの苦しみに関連しているのかもしれない」という認識である。それは、わたしたちが想像したくないことかもしれない。だが、そのことを気づかせてくれる「導火線」になりうるのが「心をかき乱す苦痛の映像」だ、というのである。かくして、まるで年来の持説を覆すかのように、彼女はこう結論することになる。いわく、「残虐な映像をわれわれにつきまとわせよう」、と。それが反戦や厭戦につながるのであれば。

わたしの見方では、ソンタグはかつての主張を撤回したというよりも、力点の置き方が変わってきたのだ。つまり、映像のもつ力をずっと確信してきたからこそ、かつてはそのマイナスの効果を警戒していたのにたいして、いまは期待されるプラスの作用のほうに望みをかけようとするのだ。

†ソンタグへの応答――バトラーとアズレイ

話の流れ上、ベトナム戦争からはやや離れるかもしれないが、ここでソンタグに向けられたその後の応答を簡単にたどっておきたい。というのも、戦争のイメージをめぐる今日的な議論は、まさしくソンタグを起点として展開されているからである。

ひとりは、フェミニズムの哲学者ジュディス・バトラー（一九五六生）による「拷問と写真の倫理――ソンタグとともに思考する」（『戦争の枠組』に所収）である。とりわけ一九九一年の湾岸戦争以後の状況を念頭に置きながらバトラーは、メディアがすでに戦争の一部となっている現実を診断するとともに、写真の読み方を規定している暗黙の政治的な枠組のほうに読者の注意を喚起する。その枠組は、わたしたちの感情――恐怖、怒り、希望、喜び等々――を操作する効果をもち、枠組次第で写真はいかようにも利用されうる。戦争のイメージは、いまやイメージによる戦争へとかたちを変え、情報戦の様相を呈してくる。そこにはおのずと制限や選択が働いている。見ることの真っただ中には見えていないこと、見えなくされていることがあるのだ。たしかに、わたしたちもそれを薄々感じ取っている。

とはいえあえて付言するなら、ソンタグもまたこの「枠組」に無頓着だったわけではない。たとえば、一連のユーゴスラビア紛争（一九九一―二〇〇一年）に言及して、ある村の爆撃で殺された子供たちの同じ写真が、対立するセルビア人とクロアチア人の双方でプロパガンダのために利用された例を挙げている。「キャプションさえ変えれば、子どもたちの死は繰り返し利用できる」ものになるのだ。

すでにヴァルター・ベンヤミンが、一九三一年の著『写真小史』において、次のような鋭い診断を下していたことを、ここで想起しておいてもいいだろう。すなわち、カメラが小型化すると（ライカの普及は一九二〇年代後半から）、「秘められた一瞬の映像を定着する能力はますます向上し」、そうした「映像が与えるショックは、見る人の連想メカニズムを停止させる」。そこに写真のキャプションが付け込んでくる、というのである。

バトラーにつづいてソンタグに応答するのは、『写真の市民契約』（二〇〇八年）などの著書で知られるメディア理論家で映像作家のアリエラ・アズレイ（一九六二生）である。彼女によると、ソンタグの議論は写真をあまりに個人的な体験に縛りすぎている。これにたいして、写真という「出来事」は、その被写体（主体にして主題）となること、それをカメラに収めること、さらにその映像を眺めること、写真を読み取り反応することの総体なのであって、それ自体、優れて公的・市民的な意味を担っている。アズレイが希望を託すのは、写真によって生まれうる新たな市民の連帯、その抵抗的な――それゆえ反戦と反敵対の――政治空間の可能性である（Azoulay）。

テルアビブ生まれのユダヤ人でみずからを「アラブのユダヤ人にしてアフリカ起源のパレスチナ・ユダヤ人」と名乗る彼女は、被支配の側に立つ市民として写真を撮り見ることの意義を強調する。たとえば彼女は、ユダヤ人とパレスチナ人のあいだの憎しみや暴力の応酬を刺激するような写真ではなくて、両者がともに仲睦まじく映っているような過去と現代の写真を好んで収集しキュレーションしようとする。苦悩の歴史があるからこそ、笑顔の写真が求められるのだ。

しかも、今日インターネットの普及によって、さまざまなソーシャルメディアを通じて流れる映像や情報は、ボトムアップからの新たなコミュニティ形成への契機となりうるだろう。たとえば、記憶に新しいところでは、チュニジアの一青年の焼身自殺に端を発して、本国のみならずエジプトやモロッコなどにも波及した民主化運動、いわゆる「ジャスミン革命」（二〇一〇年）のことが想起されるだろう。ソ連によるウクライナ侵攻に関連しても、アマチュア・カメラマンたちによる映像や動画がネット上にあふれている。

とはいえ、もちろんここにも落とし穴がある。全体主義的な国家権力がそうした情報へのアクセスをあからさまに厳しく制限していることは、すでに周知のところであろう。が、こうした情報の規制や検閲は、それと気づかないかたちでいわゆる民主主義国家にも浸透していることに違いない。先述したように、バトラーはそれを暗黙の「枠組」と呼んだのだった。俗にいうメディアの自主規制なるものや、当局によってあらかじめ指定された範囲に制限される「埋め込み（エンベッド）」報道などがこれに相当する。写真は、証言と証拠のあいだの不安定な空間を漂っているのだ。しかもネット上の映像は、フェイクや改竄、扇動やいじめや窃視の温床でもある。ＡＩ技術を応用した特殊なアプリを使えば、いわゆる「ディープフェイク」は簡単にできるらしい。

バトラーのみならず、フランスの思想家ポール・ヴィリリオらも強調してきたように、とりわけ湾岸戦争以後、メディア状況は一変した。ハイテク装備の戦闘とハイテク装備の情報とが完全に一体化し、インターネットによってライヴ配信される。ＧＰＳ（全地球測位システム）などの開発によって、戦争はますます情報戦としての様相を帯びてくる。その結果、戦争と情報との関係性が転倒するという事態も起こりうる。つまり、演出効果を盛り上げようとして、メディアが戦争を煽り戦術を選ばせる、という事態である。戦争のパフォーマンス化といいかえてもいいだろう。

戦場で撮影された残虐な映像を称して「戦争ポルノ」と呼ばれることがあるが、アブグレイブ刑務所におけるアメリカ兵によるイラク人捕虜への非道極まりない拷問の映像の数々は、その最たるものである。何事につけても、ネット上での反響をあらかじめ想定して映像を作って流すことは、いまや日常茶飯にすらなっている。イメージをめぐる政治的で宗教的な問題に鋭く切り込んできたフランスの女性哲学者マリ＝ジョゼ・モンザンによれば、YouTube動画と殺戮ドローンのあいだには、いみじくも親和性があるのだ（『イメージは殺すことができるか』）。

フォトジャーナリズムの全盛期、ベトナム戦争の写真をめぐってソンタグが投げかけた困難な問いは、このように二一世紀の今日もなおその意味を失っていないどころか、ますますアクチュアリティを帯びているといえるのだが、ひるがえって考えるならそれは、ひとえに人類が愚かな戦争に終止符を打とうとしないことにいちばんの原因がある。ソンタグが生きていたなら、この状況をどのように診断したであろうか。

†ベトナム反戦のアート――三人の日本人

さて、このあたりでもういちどベトナム戦争当時に戻って、今度はアートのほうに目を向けてみよう。東西冷戦構造とアメリカ帝国主義を背景にしたこの戦争に、いち早くノーを突きつけたアーティストのなかに、ニューヨークで活躍していた三人の日本人がいたということは、ここで強調されていい。その三人とは、「日付絵画（Today シリーズ）」（一九六六―二〇一三年）で名高い伝説的な河原温（一九三二―二〇一四）、水玉とカボチャのモチ

図4-2　河原温《タイトル》

ーフでいまや広く知られる草間彌生（一九二九生）、そしてジョン・レノンのパートナーにしてミューズでもあったオノ・ヨーコ（一九三三生）である。

アイデアやコンセプトを重視する前衛芸術運動、いわゆるコンセプチュアル・アートを代表するひとりである河原温は、一九六〇年代半ばからニューヨークで活動をはじめるが、その彼が、米軍による北爆（北ベトナムにたいする爆撃）が本格化する一九六五年に、《タイトル》（図4-2、ワシントン、ナショナル・ギャラリー）と題された横一列に並ぶ三連画を発表しているのである。あずき色に一様に塗られた無地の三枚のカンヴァスに、左から順に何の変哲もない白い文字で、"ONE THING" "1965" "VIET-NAM" とつづられただけの、文字どおり概念的な作品である（サイズは、両端がほぼ一一八×一六〇センチで等しく、真ん中が一三〇×一五九センチとやや大きい）。

これら三枚は、それぞれ「ある出来事」、その日付「一九六五年」、そして場所「ベトナム」をさし示している。一般的にいって誰にとっても、出来事はその日付と場所とに結びついているものだ。河原の三連画は、わたしたちのそうした生のあり方そのものに広く訴えるものでもある。ただし《タイトル》において、場所と日付は具体的だが、出来事についてはその限りではなくてただ暗示的である。河原にとってこれら三つの結びつきは何を意味しているのだろうか。

よく知られているように、そしてすでに当時から伝説にすらなってきたように、河原本人は、自分の作品について語ることもなければ、公に姿を見せることさえほとんどなかった。とはいえ、"VIET-NAM"とつづられたパネルと一緒に並んでいるからには、この"ONE THING"が戦争――とりわけ米軍による北爆――を暗示しているだろうことは想像に難くない。ただし、その受け止め方は人によってさまざまかもしれない。あえて"ONE THING"という不特定の表現のままにとどめたとするなら、それは、そこに個々の鑑賞者の記憶や想像力が働く余地を残しておくためであったと思われる。わたしたちに求められているのは、その想像力である。

この戦争がその後ほぼ十年にもわたって泥沼化していくことを、三連画を制作した時点で河原が予想していたかどうかはわからない。が、彼がある種の衝撃とともに受け止めていたことは事実だろう。それが、こうした非人称的で観念的で謎めいてもいる作品となって結実したと考えられる。ことによると、少年時代に体験した太平洋戦争とヒロシマ・ナガサキのことが彼の脳裏にフラッシュバックしていたかもしれない。とはいえ、河原はあくまでもあからさまな感情やメッセージ性をみずからの作品から排除して、すべてを鑑賞者の想像力にゆだねる。

河原の代名詞ともなる「日付絵画」のシリーズは、この翌年の一九六六年一月から開始され、死の前年の二〇一三年まで、実に四十数年にわたってつづけられることになる。すなわち、灰色か赤か青のいずれか一色に平塗りされた一枚のカンヴァスに、たとえば"DEC. 29. 1977"のように、それが描かれた当日の日付を白で示しているような作品群である（その数はおよそ三〇〇〇点にも上るとされる）。そこではもはや場所や出来事への暗示は省かれているが、当日の新聞の切り抜きなどが添えられることがある。

このように、文字どおり河原のライフワークとなる「日付絵画」が一九六六年にはじまることにかんがみるなら、前年の三連画《タイトル》は、彼の画業のなかで重要なメルクマールとなる作品であったといえるだろう。ベトナム戦争は大きな影を河原温に落としていたのだ。

一方、一九五七年から一九七二年まで活動の舞台をニューヨークに移していた草間彌生が、ブルックリン橋やセントラルパークで反戦の「ハプニング」をおこなうのは、一九六八年のことである。前もって予告したうえで草間は、ベトナム反戦と当時の米大統領リチャード・ニクソンへの抗議の意味を込めて、裸の男女の体に水玉をペインティングするというゲリラ的なパフォーマンスに訴えたのだった（ネット上でその写真を見ることができる）。それはまた、一九六〇年代後半に彼女がニューヨークを中心に展開していた一連のハプニングや奇抜なファッション・ショーの一環でもある。しかも当時は、既成の価値観や性規範に対抗するカウンターカルチャーの動きが盛り上がりをみせた時代でもあって、「ヒッピー」と呼ばれた若者たちはその象徴的な存在であった。草間はまたそうした対抗文化の一翼を担っていたのである。

さらに、オノ・ヨーコがジョン・レノンとの結婚に際して、アムステルダムの高級ホテルでおこなった平和と反戦のためのパフォーマンス「ベッド・イン」（一九六九年）の様子は、世界的大スターのニュースだっただけに、当時盛んにテレビなどでも取り上げられていて、田舎の中学生だったわたしは、そのニュースをテレビで見て、あまり意味もわからないまま、その奇抜さと自由奔放さに驚かされたことを今でもよく覚えている。

一九六〇年代を象徴する前衛芸術運動「フルクサス」のメンバーでもあったオノ・ヨーコは、これよりも前一九六五年にニューヨークのカーネギー・ホールで、「カット・ピース」と題された衝撃的なパフォーマンスをおこなっている。これは、彼女がステージ上に不動でじっと押し黙ったまま座っていると、観客たちがひとりずつ舞台に上がってきて、ハサミで彼女の着ている服を次々と切り刻んでいくというもので、すでに前年の一九六四年に京都と東京でおこなっていたものの再演である（YouTubeにて視聴できる）。

一般的にいってパフォーマンスは、それがおこなわれる時間と場所に強く結びついているので、それらが変われば、観客の受け止め方にもおのずと変化が生じてくるものだが、一九六五年のニューヨークという設定は、ベトナム戦争という背景を抜きには考えられないだろう。たとえもともとこのパフォーマンスが反戦として構想されたわけではなかったとしても、一方的に暴力にさらされる東洋人の女性オノ・ヨーコの身体は、ニューヨークの一部のアメリカ人の目には、ベトナムの犠牲者たちを象徴する存在のように映ったかもしれない。直接手は下さないとしても、傍観することで暴力に加担しているのもまた、アメリカの観客である。

ここまで見てきたように、河原温と草間彌生とオノ・ヨーコの三人の日本人がいみじくも証言しているベトナム反戦のアートにおいて、コンセプトやパフォーマンスがますます重要な契機となっているとするなら、それもまた偶然ではない。イタリアの哲学者ジョルジョ・アガンベンが、アリストテレスの用語に借りて鋭く診断するように、二〇世紀の前衛芸術運動は、作品を制作すること――「ポイエーシス」――から、芸術家の活動や実践――「プラクシス」――のほうへとますますその重心を移動させてきたのである（『創造とアナーキー』）。つまり、アーティストによるパフォーマンスや概念的な装置が、制作される作品そのものに取って代わるのだ。反戦の美術もこの流れと無関係ではありえない。前章で取り上げた、厭戦感を漂わせるポール・ナッシュの絵画や、不安と恐怖をかたちにしたようなジャン・フォトリエの絵画の世界とは、ほんの二〇年ほどの差なのだが、いまや隔世の感がある。

またこのように、アメリカで活躍する日本の前衛芸術家たちが、ベトナム戦争に敏感に反応したとするなら、そこにはおそらく、彼らがいずれも多感な少年・少女時代を戦争のなかで送ったという事情とも無関係ではありえないだろう。さらに、先の大戦でベトナムに進駐した日本は加害者の側にいたという記憶も、ぬぐいがたい意識下の罪悪感となっていたのかもしれない。

†反戦・フェミニズム・体制批判

一方、アメリカのアーティストたちによるベトナム戦争への抗議と抵抗は、管見の限り、時代を大きく特徴づける二つの動向と合流していたように思われる。すなわち、ひとつはフェミニズムであり、もうひとつはアート界の体制批判である。

たとえば、グアッシュとインクで紙に描かれた《戦争》の連作(一九六六―七〇年)において、ナンシー・スペロ(一九二六―二〇〇九)は、男性性とその性的な衝動を兵器類

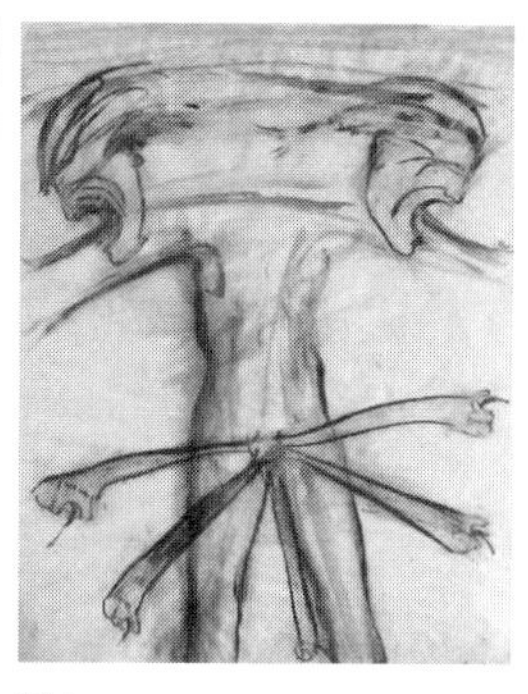

右　図4-3　ナンシー・スペロ《戦争》より
左　図4-4　ジュディス・バーンスタイン《爆弾2》（1973年AIR画廊での個展の写真）

になぞらえらる。男の身体は、しばしば爬虫類や節足動物やキマイラにも似てきて、戦争機械そのものの隠喩となる。勃起した男性器の先端は人の顔となって、その口からは精液ならぬ火炎が噴き出ている（図4-3、一九六七年、個人蔵）。飛び交う戦闘機の数々もまた男根を連想させないではいない。

いわゆるグラフィティ（落書きアート）とも通底するジュディス・バーンスタイン（一九四二生）にとってもまた、戦争はセクシズムやレイシズムと切り離しえないものである。力強い線描でとらえられた黒い男根は、まさしく爆弾の代名詞にほかならない（図4-4）。戦争と家父長制とは車の両輪なのだ。

おぞましいもの、や、それを唾棄するような行為を称して、精神分析では「アブジェクション」と呼ぶことがあるが、スペロやバーンスタインの作品は、これとも通じるところがある。ちなみにこの語は、「さもしい」や「卑劣な」を意味するラテン語の「アビエクトゥス（abiectus）」に語源がある。戦争とはかくのごとく、さもしいものなのだ。

一方、フォトモンタージュによる連作《ハウス・ビューティフル　戦争を家に持ち帰る》（一九六七―七二年）によってベトナム戦争をシニカルに告発するのは、マーサ・ロスラー（一九四三生）である。フォトモンタージュという手法が、ダダイズムによる誕生時からすでに時局への批判や風刺と密接に結びついてきたことは第2章で述べたが、ロスラーはこの伝統にしっかり軸足を置きつつ、さらに一九六〇年代を席巻したポップアートの軽妙さをそこに加味させている。モデルのひとつになっているのは、リチャード・ハミルトンの《いったい何が今日の家庭をこれほどまで変え、魅力あるものにしているのか》（一九五六年）のような作品である。

図4-5　マーサ・ロスラー《ハウス・ビューティフル　戦争を家に持ち帰る》より

これに範をとったロスラーの連作は、いずれもアメリカの中流家庭が舞台で、そのインテリアの写真とベトナム戦争の報道写真とを、大衆雑誌などからとってきて切り貼りしたもの――今風にいうなら「カット＆ペースト」――である。それらは、フェミニストの刊行物に発表され、反戦デモのチラシとしても利用された。たとえば、主婦が掃除中に窓のカーテンを開けると突然に戦闘場面が出現したりする、といった具合である（図4-5）。平和で平凡な日常のなかに、非日常の恐怖が否応なく侵入してくるのだ。

先述したように、当時スーザン・ソンタグは戦争の悲惨な写真が氾濫して免疫化していく現状に批判的だったのだが、ロスラーはむしろあえてそれを逆手にとるかのようにして、意外性と諧謔に訴えつつ、日常的な空間のなかで戦争の現実を喚起させようとするのだ。彼女はさらにその後、イラク戦争に関連して、同様の連作（二〇〇四―〇八年）を再開している。

これら女性のアーティストによる反戦のイメージの数々は、いずれもセクシズム批判とも強く結びつくものだが、同時にユーモアのセンスが根底にそこはかとなく流れていて、それが彼女たちのアートを活気づけている。怒りと笑いとは対立し合うものではなくて、両立できるものであり、またそうでなければならないのだ。何事にせよ怒り一辺倒では、効果は半減するかもしれないのだから。

その意味で、ここであえて言及しておきたいのは、スタンリー・キューブリックの有名な映画『博士の異常な愛情』(原題は「ストレンジラヴ博士、あるいはわたしはいかにして心配するのをやめて水爆を愛するようになったのか」)である。というのも、一九六四年に公開されたこのアイロニーとブラック・ユーモアたっぷりの映画のなかですでに、ミサイルは男根の隠喩として登場していたからである。以下で簡単にこの映画を振り返っておこう。

ベトナム戦争はまだ本格化していないとはいえ、時はまさに一発触発の状態にある米ソ冷戦の真っただ中。アメリカ空軍の偏執狂気味の司令官が突然、ソ連への水爆攻撃を命令する。だが、攻撃を受けた場合、ソ連では全世界を壊滅させることのできる核兵器の自爆装置が作動することが判明する。そこでアメリカ政府は、すでに飛び立った数機の爆撃機を本国に引き揚げさせようとするのだが、暗号装置の不具合によって、一機とだけはどうしても連絡を取ることができない。

かくして、ここから名高いラストシークエンスへとつながっていく。無線機が大破したために、不運にも「引き返せ」というペンタゴンの命令を受信できなかったその一機は、何も事情を知らないまま、ひたすら忠実に当初の命令を全うしようとする。ついに水爆を敵陣に落とすことになるのだが、肝心の投下口が開かない。そこで、テキサス出身のマッチョなカウボーイ、コング少佐——その名前はキングコングを連想させずにはおかない——が、「俺に任せとけ」とばかり、点検のためにコックピットから下に降りていく。爆弾にまたがって修理に取りかかるや、突然に投下口が開いて、この少佐は、まるで巨大なファルスを思わせるような爆弾にまたがったまま、自慢のカウボーイハットを振りかざして悲鳴を上げながら、モスクワ近郊に急降下していくのである（図4-6）。

ブラック・ユーモアを込めてここで痛烈に皮肉られているのは、カウボーイに象徴されるようなマッチョな男性性であり、そのメタファーとなるファルスとしての爆弾である。

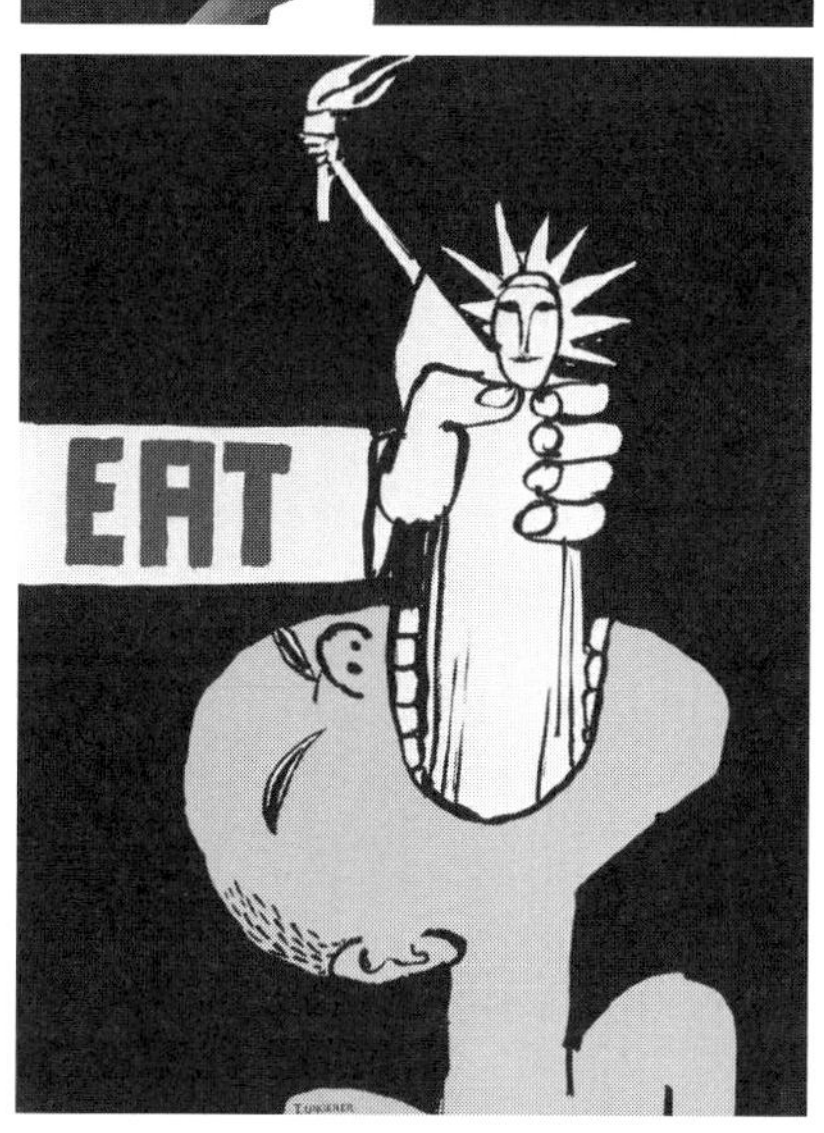

上　図4-6　キューブリック『博士の異常な愛情』より
下　図4-7　トミ・ウンゲラー《食べてしまえ》

ナンシー・スペロやジュディス・バーンスタインが、この映画を見たかどうかは定かではないが、高い評価を得てヒットもした作品だから、その可能性は低くないだろう。

さらに、怒りとユーモアの合体という点で、ここでもうひとつ取り上げておきたいのは、日本でもいくつか翻訳で知られる児童文学者にしてイラストレーターのトミ・ウンゲラー（一九三一―二〇一九）による反戦ポスター《食べてしまえ》（図4-7、一九六七年）である。そこでは、男が大きな口を開けて、アメリカの象徴でもある自由の女神像をすっぽりと一飲みにしようとしている。その様子は、まるで何者かに強引に喉元に突っ込まれているようにも、みずからすすんで貪り喰っているようにも見える。周知のように自由の女神像は、アメリカ合衆国の独立百周年を記念してフランスから送られたものだが、それがいまや跡形もなく消え去ろうとしているのだ。もともとフランス生まれで、一九五六年からアメリカに移り住んだというウンゲラーの経歴にかんがみると、ポスターのデザインはますます皮肉なものに見えてくる。フランスからの自由と平和の贈り物が、いまや食い物にされているのだから。

一方、本章の扉の図に見られるように、スペイン内戦にかかわるピカソの《ゲルニカ》が、ポスターへと転用されることで、もともとの来歴を超えて、いわば普遍的な反戦のシンボルへと変貌を遂げていく時代でもある。地面に倒れても口を開けて目をしっかり見開いたゲルニカの市民は、いまやポスターのなかで、「すぐにベトナムでの戦争を止めろ」と叫んでいるのである。

皮肉や風刺の精神はまたアート界の体制批判のなかにも生きている。たとえば、河原温と同じくコンセプチュアル・アートの作家ハンス・ハーケ（一九三六生）による一種のパフォーマンス「MoMA世論調査」（一九七〇年）が挙げられるだろう。これは、現代美術の殿堂、ニューヨーク近代美術館（MoMA）の来場者に、ニューヨーク州知事の再選を支持するかしないかを問うたもの。なぜ皮肉かというと、当時の州知事は、大財閥ロックフェラー一族の当主で、美術館の大筋の資金援助者にして、かつベトナム戦争を推進するニクソン大統領の強力な片腕でもあったからである。

しかもMoMAは当初、先述した反戦ポスター、《赤ちゃんまでも》の制作と流通に援助を約束していたにもかかわらず、間際になって急遽それを取り下げたのだった。このポスターはニューヨークの過激なアーティスト集団、芸術労働者連合（AWC）によってプロモートされたものであった（Ho ed.）。そのため、おそらくはロックフェラーの圧力が働いたか、キュレーターたちがいわば斟酌したのだろう。ハーケによる調査結果は、不支持が支持を上回ったようだが、にもかかわらず、歴代政治家も多く輩出しているロックフェラー一族は、現在もなおMoMAの重要なパトロンでありつづけている。

そもそも「アート界」ないし「美術業界」、英語の原語では「アートワールド」という言い回しが流布するようになるのも、ほぼベトナム戦争と重なる一九六〇年代半ばからのことで、それには現代美術にも精通したアメリカの哲学者アーサー・ダントーの貢献があった。「アート」とは、わたしたちがそう信じたがっているような芸術作品と鑑賞者（観客）の純粋な出会いなのではなくて、画商やキュレーターや批評家などからなる総体であって、政治的な駆け引きや経済的な力学がそこに渦巻いてもいるいわば不純な世界なのだ。作り手の自発的な創造行為と受け手の無垢な感性からなるのが「アート」だなどという、そんな生易しいものではもとよりないのである。

蛇足かもしれないが、ジャクソン・ポロックとともに戦後アメリカの抽象表現主義を代表する大家バーネット・ニューマン（一九〇五―七〇）も、戦争反対運動を弾圧しようとするシカゴ市長への抗議の意味を込めて、一九六八年に《デイリー市長のためのレースのカーテン》（シカゴ、アート・インスティテュート）という異色のオブジェを発表している。それは、鋼鉄の枠組のなかに有刺鉄線が格子状に張り巡らされたもので、いわゆるカラーフィールド・ペインティングという彼独自の抽象絵画のスタイルとも呼応してはいるものの、政治的な暗示がより表面化しているのである。

†イタリアの「アルテ・ポーヴェラ（貧しい芸術）」

一方、イタリアでも一九六〇年代の後半、アメリカ型の大量消費社会や帝国主義にノーを突きつける、「貧しい芸術」という意味の「アルテ・ポーヴェラ」の運動が勃興してくる。その理論的な支柱であった新進気鋭の批評家ジェルマーノ・チェラント（一九四〇―二〇二〇）は、これを「ゲリラ戦」とも呼んでいた。イタリアは当時、マーシャルプランに後押しされて「奇跡の」と形容されるほどの経済復興を遂げていたが、同時に、ネオファシズムが新たに台頭してくる時代でもあった。そんなときに、自動車産業で潤う町トリノに生まれたのが、芸術と生、美学と政治のあいだの壁を取り払おうとした「アルテ・ポーヴェラ」であった。

図4-8　ピストレット《ベトナム》

この運動の担い手のひとり、ミケランジェロ・ピストレット（一九三三生）による《ベトナム》（図4-8、一九六五年、ヒューストン、メニル・コレクション）は、ストレートなタイトルによっていち早く戦争に応答している。

「鏡絵画」と名づけられたピストレット特有のスタイルによって制作されたこの作品は、磨かれたステンレス・スチールと、その上に貼りつけられた、男女のペアのほぼ等身大に引き延ばされた薄紙の写真からできている。このペアはプラカードを掲げていて、そこに「NAM」の文字が見えているが、それが「VIETNAM」の一部であることはすぐにわかる。展示室の床に本作が直に立てかけられて、その前にわたしたち鑑賞者が立つと、その表面に反射されるので、まさに絵のなかで反戦デモに参加しているようなストーリーができあがる、というわけである。

一九六〇年代初めに編みだされたこの手法は、ピストレットの代名詞ともなったもので、鑑賞者が鏡像を介して作品の一部となることによってはじめて、そのつどごとに作品に意味が立ち上がってくるのである。作り手と受け手との共同によって成立する作品であるともいえる。

一方、三三歳に満たずして夭折したピーノ・パスカーリ（一九三五―六八）は、トリノのフィアット社の自動車部品の廃品など、いわば大型ゴミを巧妙に組み合わせて、見たところほぼ忠実に大砲やミサイル発射装置やマシンガンなどを原寸大で複製した連作、《武器》（一九六五―六六年）を発表する。

それらはいわばガラクタによるフェイクにすぎないから、もちろん実際には何の役にも立たない。いわば子供のおもちゃの武器のようなものである。こうしてパスカーリは、ベトナム戦争を強烈に風刺すると同時に、巨大自動車産業をも皮肉ってみせる。第1章と第2章で述べたように、かつてアンリ・ルソーやパウル・クレーは戦争を、無邪気ゆえに残酷な児戯になぞらえていたが、ここでパスカーリがとるのもまたそれに近い身振りである。

しかも彼は、そのひとつにみずからまたがって笑顔を振りまいているところを写真に収め、《平和のハト》(図4-9、一九六五年)というアイロニーの利いたタイトルをつけて発表する。その写真を撮ったのは、当時まだ二〇歳そこそこのクラウディオ・アバーテ(一九四三生)で、彼はその後、カメラの目を通じて「アルテ・ポーヴェラ」の作家たちの作品やパフォーマンスの重要な証言者となる。

図4-9 パスカーリ《平和のハト》

ここでパスカーリは、大きなおもちゃの武器で無邪気に遊ぶ大人の男を演じているのだが、これはウィットの利いたギャグである。彼がまたがるミサイルは、まるで巨大なファルスのようにも見える。おそらくこれもまた意図された計算である。その有様は、先述したキューブリックの映画『博士の異常な愛情』のワンシーンや、アメリカのフェミニストの画家たち、ナンシー・スペロやジュディス・バーンスタインの絵画とも通底するところがある。マッチョイズムがこうして、ほかでもなく男性のアーティストによってやや自虐的に笑い飛ばされるのである。

一方、一九七〇年代に《世界地図》のシリーズによって、反植民地主義と反帝国主義、そしてフェミニズムに応答しつつ、ある意味でポストコロニアリズムを先取りするのは、アリギエーロ・ボエッティ（一九四〇―九四）である。

一九七一年から開始されるこの連作《世界地図》は、アフガニスタンの女性たちによる伝統的な刺繍によって編まれたタペスリー状の作品で、材料となるリネンの布はローマで調達されるが、ボエッティ本人は現地で立ち会うだけで、直接手を下すわけではない。その後一九七九年にソ連によるアフガニスタン侵攻がはじまると、今度は場所をペシャワールのアフガン難民キャンプに移して制作がつづけられ、その数は一五〇点ほどに達している（日本では、そのひとつを豊田市美術館が所蔵している）。

ボエッティがここでアフガニスタンの女性たちを作り手に選んだのはもちろん偶然ではない。昔から「文明の十字路」と呼ばれ交易上の要地でもあったアフガニスタンには、とりわけ一九世紀以降、イギリスとロシアを筆頭に西洋列強の激しい勢力争いに巻き込まれてきたという厳しい歴史がある（その一端をわたしたちも第1章の風刺画のなかで垣間見たところだ)。しかもこの国の女性たちは、イスラーム過激派タリバーンの台頭以前からすでに不当に差別され抑圧されてきたという経緯があるから、彼女たちはいわば二重苦を背負ってきたのだ。その彼女たちに事実上の制作を委ねることで、ボエッティはさらに、創造する男性主体という西洋中心主義的な芸術観を脱構築しようとする。近づいてみると、彼女たちの手作業の跡がはっきりと見えて、その息遣いまで伝わってきそうである。

このように、異文化間の共同制作としてのボエッティの《世界地図》シリーズは、廃れようとしていたアフガニスタン女性の伝統工芸と前衛芸術とが合体した稀有の作品である。サイズは、小さいもので横二メートル強で縦一メートル半強のものから、大きいものでは横が優に五メートルを超えるものまであるが、どの地図も、ちょうどほぼ真ん中に中近東が配される構図をとっていて、各国の国境にそってそれぞれの国旗が編みこまれている。それゆえ、制作された年代に応じて、消えていく国や新たに生まれる国境が反映されることになる。

どれも中近東が地図のほぼ真ん中にくるのは、もちろんアフガニスタンがそこに位置するからだが、同時に、アフリカも含めてこの地域の変化が目まぐるしいからでもある。ほかでもなく列強の介入と内戦のつづくアフガニスタンは、政権の交代によって一九七〇年代だけで七回も国旗を変えてきたのだ。抑圧された女性たちの手仕事によって美しく仕上げられた刺繡の世界地図の裏には、戦争や内乱にともなう地政学の過酷な現実が隠れているのである。ボエッティとアフガン女性たちの協働による《世界地図》連作の存在は、残念ながら日本ではあまり広く知られていないが、それだけにわたしはここであえてその意義を強調しておきたい。

†ホロコーストの記憶――ボイス、リヒター、キーファー

本章を締めくくるにあたって、最後に、ホロコーストをめぐるその後のアート作品について触れておく必要があるだろう。ことに戦後のドイツ美術を代表する三人、ヨーゼフ・ボイス（一九二一―八六）、ゲルハルト・リヒター（一九三二生）、アンゼルム・キーファー（一九四五生）は、自国の犯した恐るべき戦争犯罪の負の記憶に、いかに応答しているのだろうか。

ユダヤ人大量移送にかかわった元ゲシュタポ、アドルフ・アイヒマンが、逃亡先のアルゼンチンでイスラエル諜報特務庁（モサド）によって捕らえられ、エルサレムで裁判にかけられて処刑されたのが、一九六二年のこと。この裁判を傍聴した哲学者のハンナ・アーレントが「悪の陳腐さ」について語ったことでも知られる。アーレントによると、ナチズムのような悪の根源は、なにか特異な病理なのではなくて、わたしたちの誰にもありうる

ような平凡さのうちに潜んでいるのだ。さらに、ホロコーストにかかわった強制収容所の幹部たちを、今度はドイツ人自身が裁いたアウシュヴィッツ裁判がフランクフルトでおこなわれたのが、一九六三―六五年のことである。

一方、一九八〇年代になると、「ホロコーストはでっち上げ」「ガス室は存在しなかった」などと主張する、いわゆる歴史修正主義がにわかに台頭してくる。日本でも、南京大虐殺はなかったなどとまことしやかにささやかれてきたのと、同じような流れである。上記の三人のアーティスト、ボイスとリヒターとキーファーの活動は、こうした政治的で思想的な背景を抜きにしては考えられないだろう。

図4-10　ボイス《アウシュヴィッツ・デモンストレーション》

一九六〇年代の数々のパフォーマンスを通じて神話にすらなっているボイスが、みずからも認めているように、戦中ヒトラーユーゲント（ヒトラー青少年団）だったことはよく知られている。その彼がいわばタブーを破るかのようにして、一九六八年に発表したのが、その名もずばり《アウシュヴィッツ・デモンストレーション》（図4-10、ダルムシュタット、ヘッセン州立博物館）と呼びならわされてきた一種のインスタレーションである。

これは、透明なガラスケースのなかに、みずからが制作したり集めたりした過去のさまざまなオブジェ（一九五六―六四年）を並べて展示したもので、それらのオブジェには、金属製の魚の浮き彫り、粘土製の顔のない十字架のキリスト像、白いスープ皿の上にのった聖餅、乾燥してミイラ化したネズミ、飢餓の少女のドローイング、パンフレットからちぎり取られたアウシュヴィッツの地図のほか、ソーセージの断片やヨードチンキの入った小瓶、曇った鏡など、雑多でやや意味不明のものまであって、その点では、ダダイズムや構成主義の伝統にもつながるところがある。さらに、「犠牲」を暗示することでボイスが、一九四七年に開設されたアウシュヴィッツ＝ビルケナウ博物館の展示空間を凝縮したような役割をこのガラスケースに与えたことも推測される。

しかしながら、どこかしっくりこない部分が残るのもまた事実である。イエスはたしかにユダヤ人ではあったとしても、磔刑像にせよ「魚（イクトゥス）」にせよ、キリスト教のシンボルであって、ユダヤ教とは直接の関係はない。聖餅もしかりである。

また、もともと「ホロコースト」とは、いけにえの動物を焼いて神に犠牲を捧げるユダヤ教の供犠（燔祭）をさすところから、ナチスによるユダヤ人大虐殺にこの語を当てることは不適切であって、むしろ、「絶滅」をさすヘブライ語「ショアー」や、ある民族や種族を計画的に殲滅させることを意味する合成語「ジェノサイド（集団殺戮）」のほうがよりふさわしいとする考え方がある。この新造語が一九四四年に生まれた理由もそこにある。つまり、「ホロコースト」という語に含まれる「犠牲」への宗教的な暗示は、ひとつまちがえるとその正当化に悪用されかねないのだ。

いずれにしても、ボイスの作品にはどこかあいまいさが残るように思われる。そもそもボイスのパフォーマンスにはどれも、管見のかぎり、どこか香具師(やし)のようないかがわしさがあって、それが彼の不思議な魅力にもなっている。ことによると、そのあいまいさやいかがわしさはボイス自身によって最初から計算されたもので、鑑賞者に疑問を抱かせたり反発させたりすることに彼の逆説的な意図があったのかもしれない。

同様のことは、一時ボイスに師事していたリヒターやキーファーにもまた当てはまるように思われる。一九三二年生まれのリヒターには、戦中、ヒトラーユーゲントよりも年少の組織「少年団（ユングフォルク）」に入っていたという苦い過去がある。また、家族のなかにナチ党員がいて、リヒターはこのことをあえてみずからの作品のテーマに選ぶ。《ルディ叔父さん》

図4-11　リヒター《ルディ叔父さん》

（図4-11、一九六五年、八七×五〇センチ、リディッツェ博物館）がそれである。これは、生前の叔父の写真を油彩でなぞる、フォトペインティングというリヒター独特の手法によって描かれたもので、その白黒の画面には、誇らしげに軍服を着て微笑む出征前の叔父の全身像が、まるでピンボケ写真のようにとらえられている。この効果は、絵の具がまだ半乾きのときに、乾いた刷毛で表面をこすることで得られたものである。

写真自体はきわめてありふれたものなのだが、それをピンボケ絵画にすることで不思議な印象が生まれる。あたかも、一枚の大きな写真のような絵のなかで、記憶の想起と忘却とが同時に生起しているようにも見える。たしかに、わたしたちの記憶のなかのイメージは、たいていの場合はっきりとした輪郭を結ぶということはない。痕跡としての記憶は、像を結びつつも同時に消えかかってもいるのだ。

一方、まさに終戦の年に生まれたキーファーには、直接の戦争体験はないわけだが、あたかもそれを埋め合わせるかのように、一九六九年、ドイツの各地でナチス式敬礼をとるという時代錯誤のパフォーマンスをして、それを写真に収めた連作を発表している。それはまるで、当時生きていたとしたら自分もヒトラーに傾倒していただろう、とでもいわんばかりである。多くのドイツ国民がかつてそうだったように。ここにもまた、あえて反語的な身振りをとって鑑賞者に違和感や嫌悪感を抱かせ、そうすることで過去の忌まわしい記憶を呼び覚まそうとしているかのようである。

さらに一九八〇年代に入るとキーファーは、戦争の記憶を神話や歴史の層と重ね合わせるようにして、巧妙に計算されたレトリックによって、ホロコーストを暗示する油彩画を描いている。それは、先述した歴史修正主義にたいする、画家からの批判的な応答として読むことができるようにも思われる。

図4-12　キーファー《ズラミート》

一例を挙げるなら、一九八三年の大作《ズラミート》（図4-12、サンフランシスコ近代美術館、二八八×三七一センチ）はそうしたものの典型である。このタイトルは、旧約聖書『雅歌』のなかの気高くて美しいユダヤの乙女「シュラムの女」に由来するものだが、それだけではない。強制収容所の情景を象徴的につづったとされるパウル・ツェラン（一九二〇—七〇）の有名な詩「死のフーガ」（一九四四年）に登場する「きみの灰色の髪ズラミート」ともまた響き合っているのである。

ところが、その絵のなかにこのユダヤの乙女が登場するわけではない。描かれるのはもっぱら、真っ黒い煤に覆われたレンガのアーチの薄暗くて陰鬱な建物である。ここにもキーファーの逆説が生きているのだが、その建物は誰の目にも、強制収容所の死体焼却場を連想させずにはいないものである。画面の奥には、ユダヤ教の七枝の燭台（メノーラー）の七本の蠟燭の炎が小さく薄（うっす）らと見えている。あたかも、『雅歌』の「シュラムの女」と、ツェランの灰色の髪の「ズラミート」を弔うかのように。

キーファーからもうひとつ登場願うと、殺伐とした灰色の荒野の風景の描写の上に無数の本物の麦わらが貼りついている《ニュルンベルク》（一九八二年、ロサンゼルス、ザ・ブロード）にもまた、歴史の記憶が重層的に織り込まれている。ニュルンベルクは、もちろんそこでドイツの戦争犯罪を裁く国際軍事裁判がおこなわれた土地だが、それだけではない。一九三五年にナチスが人種法を制定したといういわくつきの場所でもあり、さらにもっと過去にさかのぼると、一三四九年、ペスト大流行のおりにユダヤ人の集団的な迫害と虐殺（ポグロム）がおこなわれた場所でもあった。画面に貼りついた無数のもろくて壊れやすい麦わらが、何を意味するかは想像の域を出るものではないが（それはどこかジャクソン・ポロックの「垂れ流し」のパロディのようにも見えなくはない）、荒野に打ち捨てられてきた数えきれない死者たちの隠喩と読むこともできるように思われる。

ところで、同じく一九八〇年代にフランスでは、改宗ユダヤ人を父親にもつクリスチャン・ボルタンスキー（一九四四―二〇二一）が、子供たちの写真と電球を祭壇のように組み合わせた《モニュメント》の連作を開始することになるが、これもまたキーファーの場合と同じく、記憶やアーカイヴをめぐる当時の論争と無関係ではありえないだろう。

さらに一九九〇年代になると、あたかもタブーが一気に解消されたかのように、映画や大衆文化においても、ナチとホロコーストを題材にしたものがにわかに増えてくる。スティーヴン・スピルバーグの『シンドラーのリスト』やロベルト・ベニーニの『ライフ・イズ・ビューティフル』、アート・スピーゲルマンのコミック『マウス　アウシュヴィッツを生きのびた父親の物語』などがその典型である。それと同時に、ホロコーストにかかわる証言や表象の可能性と限界をめぐって活発な議論が展開されることになるが、これらについて振り返るにはまた別の一冊が必要となるだろう。

一方、《ビルケナウ》と題された四枚の連作（二〇一四年）で、改めてホロコーストのテーマに立ち返るのはリヒターである。つい先ごろ日本でも展示されたこの連作は、もともとアウシュヴィッツ＝ビルケナウ強制収容所でゾンダーコマンドが一九四四年の夏に隠し撮りした四枚の写真に基づいて制作されたフォトペインティングなのだが、ここではもはややその下の映像を読み取ることが不可能なまでに絵の具がくりかえし塗られては削り取られ、いっそう抽象化されている。

そもそもそれら四枚の写真自体、きわめて困難な状況のなかで、厳しい看守の目を盗んでこっそり撮影されたものだから、どれもピントが合っていないばかりか、木陰や煙に紛れてしまって、ナチの残虐行為がはっきり写しとられているというわけではない。にもかかわらず、否、むしろそれゆえにこそこれらの写真を高く評価したのが、フランスの美術史家ジョルジュ・ディディ＝ユベルマンで、その著書『イメージ、それでもなお　アウシュヴィッツからもぎ取られた四枚の写真』（原著は二〇〇四年）への積極的な応答という意味をもっている。《ルディ叔父さん》以来、ピンボケはリヒターのフォトペインティングの特徴でもあったから、その応答にはある種の必然性があったといえるかもしれない。

ディディ＝ユベルマンがその著において擁護するのは、受け手の側の想像力の重要性である。どんな証拠写真やアーカイヴであっても、わたしたちが想像力や感性を介して何らかの関係性をもたないかぎり、単なる紙切れに留まることだろう。しかも、暴力のあからさまな表象がいつも必ずしも有効であるというわけではない。これはわたしたちも前の各章で何度も確認してきたことである。許しがたいものをとらえたイメージは、そのイメージ自体を許しがたいものへと一転させるかもしれない。

時計の針をさらに先に進めるなら、おそらくこのことに自覚的だったからこそ、たとえばルワンダのジェノサイドを題材に、チリ出身のアーティスト、アルフレッド・ジャー(一九五六生)は、残虐な行為そのものではなくて、自分の家族が虐殺されるところを目撃した少女の両目のクローズアップと、キャプションの役目を果たす、彼女とその家族について語る短い文章からなるインスタレーションを制作したのだ(一九九六年の《グテテ・エメリータの目》)。彼女のうるんだ両目は、わたしたちに想像力を働かせるようにと懇願しているようにも見える。

現実と、その再現——言葉であれイメージであれ——とのあいだには、どんなに正確を期するとしても、埋め合わせることのできないギャップが横たわっているものだ。しかも、すでに戦後八〇年近くたった今日、生き証人とされる人たちが次々と世を去っていくなかで、いかにその記憶を後代に伝えていくのかは、日本でも大きな課題として浮上している。ホロコーストにせよヒロシマ・ナガサキにせよ、わたしたちはいまや「ポスト証言の時代」ないし「ポスト記憶の世代」(Schult and Popescu)を迎えつつあるのだ。となると、想像力や感性はますます重要な意味をもってくるように思われる。

ここにおいて、アートは一定の役割を担うことができるはずである。もちろん、いみじくもランシエールも指摘するように、アートは、直接的な闘争のために有効な武器を提供することを目的とするものではない（『解放された観客』）。そうではなくてアートは、「目に見えるもの、語ることのできるもの、思考可能なもの」を新たに提起したり組み替えたりすることで、わたしたちの感性や想像力に訴えて未知の可能性を拓いてくれるものなのであり、そこにこそアートの存在意義がある。それが当てはまるのが、まさしく反戦を喚起させるイメージの数々なのだ。

あとがき

ベトナム戦争勃発の前夜、デビューして間もないボブ・ディラン（一九四一生）は、世界的に大ヒットして彼の代名詞ともなった「風に吹かれて」につづいて、「神が味方（With God on Our Side）」（一九六四年）を発表する。ネイティヴ・インディアンへの迫害から、南北戦争、米西戦争、二つの世界大戦を経て東西冷戦にいたるまで、「神が味方してくれる」が、戦争の大義名分にして合言葉になってきたことを（わたしたちも第2章でそのことを確認してきた）、ディランはここで痛烈に皮肉っている。そして、「もし本当に神が我らの味方であるなら／きっと次の戦争を止めて下さろう」という、切実な祈りにも似た歌詞でディランはその歌を締めくくる。だが結果的に、その願いは聞き入れられなかったことになる。

同じころ、二〇世紀を代表するイタリアの吟遊詩人ファブリツィオ・デ・アンドレ（一九四〇―一九九）もまた、「ピエロの戦争（La guerra di Piero）」（一九六四年）という曲を世に問う。アルチュール・ランボーの詩「谷間に眠る人」（一八七〇年）をごく緩やかに踏まえながら、デ・アンドレはここで、敵兵を目の当たりにしながらも撃つことのできなかった若い一兵士、某ピエロに成り代わるようにして、対韻と交韻からなる一四詩節で絞るように言葉を紡いでいく。残念ながら日本では、ディランほど知名度は高くないのだが、わたしはあえてこの忘れがたいカンタウトーレ（シンガーソングライター）の紹介をもって、小著を閉じることにしたい。

弾き語りのその歌は、「小麦畑に埋められて君は眠る／けれど、堀の陰から夜通し君を見ているのは／チューリップでもバラの花でもなくて／何千本もの赤いヒナゲシ」という、いずこにあるともしれないピエロの墓なき墓にまつわる四行詩節ではじまる（韻が消滅してしまうのはわたしの非力ゆえである）。

すると、語り手はすぐに、生前のピエロの声を代弁する。「渓流の岸に沿って僕がずっと眺めていたいのは／カワカマスが銀色に輝いて下るところ／流れの腕力で運ばれてくる／兵士たちの亡骸なんかじゃない」、と。ピエロはそうつぶやいていたのだが、冬の日、他の若者たちと同じように、まるでそれが義務でもあるかのように、わびしそうに地獄へと赴いていったのだった。「吹きつける雪を額に受けながら」。

「立ち止まれ、ピエロ、今はじっとしていろ」、戦場に倒れた兵士たちの声がピエロの背中に響いてくる。命を差しだすのと引き換えに、十字架を授かったとして、それがいったい何になるというのだ。

けれど、ピエロはそれをまともに聞いてなんかいなかった。聞いていたけれど、聞こえないふりをしていたのかもしれない。「そして、ジャヴァ・ダンスのステップのように／季節とともに時は過ぎ、麗しい春の日に」、彼は国境線を越えていく。

かくして「魂を背中におんぶして進軍しているとき」、ピエロは、谷の底で、自分と同じような雰囲気のひとりの男と遭遇する。「けれど、その制服は違う色だった」。とっさにピエロは自分に言い聞かす。「やつを撃て、ピエロ、今だ、撃て」、「流れ出るその血に覆いかぶさるようにして／やつが青ざめて地面に倒れるのを見届けるまで」、と。

だが、このとき、もうひとりのピエロ――オルター・エゴ――が、彼にこうささやく。

「もしも額か心臓を狙うなら／ただ一瞬でことは済むけれど／僕にはこの先ずっと、死んでいく男の両目を見る／それをじっと見るという時間が残されるんだ」、と。死にゆく相手の目を見ること、そしてそれがずっと記憶に残るだろうことが、ピエロには耐えられないのだ。歌のクライマックスにして、二〇世紀最高の吟遊詩人デ・アンドレの聞かせどころでもある。

だが、ピエロがそんなお情けをかけているほんの一瞬のスキに、振り向いた相手は彼を見て、怖れのあまり銃を構えるから、ピエロの「そんな思いやりなんか、報われるはずもない」。彼は、「叫び声すらなく地面に倒れ」、生きているあいだに犯してきた罪の赦しを請うための余裕すらなかったことを、瞬間的に思い知らされる。「君は、叫び声さえなく地面に倒れ／これで君の人生も一貫の終わり／もう二度ともとには戻れないことを／君は、一瞬のうちに悟る」。

このときピエロの脳裏に恋人の面影がよぎったようだ。「いとしのニネッタ、僕はむしろ／地獄に真っ逆さまに堕ちるんだったら／冬の日がいいと思っていたんだ」。なのに、麗しい五月に彼は逝ってしまった。まわりの小麦がピエロの話を聞いてくれる。そのあいだも、彼の両手からは銃を握りしめる音が聞こえる。語り手はこうつづける。「けれど、君の口のなかにこもっている言葉は／かちかちに凍りついてしまって、もう陽の光にも溶けそうにない」。だからこそ、ファブリツィオ・デ・アンドレという稀有の語り手が必要だったのだ。そして最後に、冒頭の四行詩節がもういちどくりかえされて、歌詞は締めくくられる。

無駄なコメントは控えておくに越したことはないのだが、ひとつだけ。小麦畑に埋められて人知れず眠るピエロをじっと見つめているのは、誰か――ことによるとニネッタ――が手向けてくれるバラやチューリップの花束ではなくて、野に咲き風に揺れるか細いヒナゲシだけなのだ。だが、そんな不条理な死はあってはならない。近年とりわけ、防衛という名目のもと、いずれの陣営でも多くの国で（もちろん日本も例外ではない）、軍備の強化が進められているが（とりわけ由々しくも核兵器の増強において）、わたしにはこれはまったく愚かなことのようにしか思われない。互いの脅し合いをどこまでエスカレートさせれば気がすむというのだろうか。マスコミもまるでそれを煽っているかのようだ。

最後になったが、編集の労をとっていただいた吉澤麻衣子さんに心から感謝を申し上げたい。吉澤さんとは、『虹の西洋美術史』と『西洋美術とレイシズム』につづいて三冊目の仕事になるが、今回もまた図版等でさまざまなわがままを聞いていただいた。「ピエロ」のような犠牲者がこの世から一日も早くいなくなることを祈りつつ……。

岡田温司　識

Gough, Paul, *A Terrible Beauty: British Artists in the First World War*, Sansom & Co., 2014.
Ho, Melissa (ed.), *Artists Respond: American Art and the Vietnam War 1965–1975*, Princeton University Press, 2019.
Israel, Matthew, *Kill for Peace: American Artists Against the Vietnam War*, University of Texas Press, 2013.
Kantarbaeva-Bill, Irina, "Vasily V. Vereshchagin (1842–1904): Vae victis in Asia and Europe," *Cultural History*, 6. 1 (2017), pp. 21–36.
Léger, Fernand, *Fernand Léger: une correspondance de guerre à Louis Poughon, 1914–1918*, Éditions du Centre Pompidou, 1990.
Mackenzie, Michael, *Otto Dix and the First World War: Grotesque Humor, Camaraderie and Remembrance*, Peter Lang, 2019.
Nash, Paul, *Outline: An Autobiography and Other Writings*. Faber and Faber, 1949.
Rosenberg, Pnina, "Art During the Holocaust," (Jewish Women's Archive 公式サイト)
Schult, Tanja and Diana I. Popescu (ed.), *Revisiting Holocaust Representation in the Post-Witness Era*, Palgrave Macmillan, 2015.
Snyder, Jonathan. "The 'Make-Believe' War: Necessary Fictionalization in Alexander Gardner's *Photographic Sketch Book of the Civil War*," *War, Literature & the Arts*. 26 (2014), pp. 1–23.
Speck, Catherine, *Beyond the Battlefield: Women Artists of the Two World Wars*, Reaktion Books, 2014.
Spiritual Resistance: Art from Concentration Camps, 1940–1945: A Selection of Drawings and Paintings from the Collection of Kibbutz Lohamei Hagheta, The Jewish Publication Society, 1981.
Wolfthal, Diane, "Jacques Callot's Miseries of War," *The Art Bulletin*, Vol. 59, No. 2 (Jun., 1977), pp. 222–233.

宮下誠『ゲルニカ　ピカソが描いた不安と予感』光文社新書，2008 年.
モンザン，マリ＝ジョゼ『イメージは殺すことができるか』澤田直・黒木秀房訳，法政大学出版局，2021 年.
湯沢英彦『クリスチャン・ボルタンスキー　死者のモニュメント』水声社，2004 年.
吉見俊哉（編）『戦争の表象　東京大学情報学環所蔵 第一次世界大戦期プロパガンダ・ポスターコレクション』東京大学出版会，2006 年.
ランシエール，ジャック『解放された観客』梶田裕訳，法政大学出版局，2013 年.
レーヴィ，プリーモ『溺れるものと救われるもの』竹山博英訳，朝日新聞出版，2014 年.

"Artists' responses to the Holocaust"（帝国戦争博物館 IWM の公式サイト）
Azoulay, Ariella, *The Civil Contract of Photography*, Zone Books, 2008.
Bryan-Wilson, Julia, *Art Workers: Radical Practice in the Vietnam War Era*, University of California Press, 2009.
Dussourt, Eric, "Jane Poupelet (1874-1932), une artiste au service des « Gueules Cassées »," *Actes. Société française d'histoire de l'art dentaire*, 19 (2014), pp. 11-15.
Foss, Brian, *War Paint: Art, War, State and Identity in Britain, 1939-1945*, Paul Mellon Centre, 2007.
Fraser, Elisabeth A., "La politique de la famille sous la Restauration: les *Massacres de Scio* d'Eugène Delacroix," *Représentation et pouvoir. La politique symbolique en France (1789-1830)*, Presses universitaires de Rennes, 2007, pp. 175-184.
Friedrich, Ernst, *War Against War! (1924)*, Pluto Press, 1987.
Gardner, Alexander, *Gardner's Photographic Sketch Book of the Civil War* (1866), Dover Publications, 1959.
Gehrhardt, Marjorie, *The Men with Broken Faces: Gueules cassées of the First World War*, Peter Lang, 2015.
Goddard, Stephen. "Celestial Themes, Censorship and War in Henry de Groux's *'The Face of Victory'*," *Print Quarterly* 31 no. 4 (2014), pp. 406-416.

田中純『イメージの記憶（かげ） 危機のしるし』東京大学出版会，2022年.
タルディ『塹壕の戦争』藤原貞朗訳，共和国，2016年.
ダントー，アーサー『分析美学基本論文集』西村清和編・監訳，勁草書房，2015年.
チョムスキー，ノーム『知識人の責任』清水知子ほか訳，青弓社，2006年.
塚原史『ダダ・シュルレアリスムの時代』ちくま学芸文庫，2003年.
ディディ=ユベルマン，ジョルジュ『イメージ、それでもなお アウシュヴィッツからもぎ取られた四枚の写真』橋本一径訳，平凡社，2006年.
ノックリン，リンダ『絵画の政治学』坂上桂子訳，ちくま学芸文庫，2021年.
野村路子『テレジンの小さな画家たち ナチスの収容所で子どもたちは4000枚の絵をのこした』偕成社，1993年.
野村幸輝『ティム・オブライエン ベトナム戦争・トラウマ・平和文学』英宝社，2021年.
秦邦生「前衛芸術と「見えない」戦争――ウィンダム・ルイスの場合」『ヴィクトリア朝文化研究』第13号，2015年，158-166頁.
バトラー，ジュディス『戦争の枠組 生はいつ嘆きうるものであるのか』清水晶子訳，筑摩書房，2012年.
林幸子（編著）『改訂新装版 テレジンの子どもたちから ナチスに隠れて出された雑誌『VEDEM』より』新評論，2021年.
林田遼右『カリカチュアの世紀』白水社，1998年.
バルト，ロラン『明るい部屋 写真についての覚書』花輪光訳，みすず書房，1997年.
ブルトン，アンドレ『アンドレ・ブルトン集成7 野をひらく鍵』粟津則雄訳，人文書院，1971年.
ベル，クウェンティン『回想のブルームズベリー すぐれた先輩たちの肖像』北條文緒訳，みすず書房，1997年.
ベンヤミン，ヴァルター『図説 写真小史』久保哲司編訳，ちくま学芸文庫，1998年.
マキアヴェッリ，ニッコロ『君主論』河島英昭訳，岩波文庫，1998年.
みすず書房編集部『人間の記憶のなかの戦争 カロ／ゴヤ／ドーミエ』みすず書房，1985年.

参考文献

アガンベン，ジョルジョ『アウシュヴィッツの残りのもの　アルシーヴと証人』上村忠男・廣石正和訳，月曜社，2001年.

同『創造とアナーキー』岡田温司・中村魁訳，月曜社，2022年.

飯倉章『第一次世界大戦史　諷刺画とともに見る指導者たち』中公新書，2016年.

池野絢子『アルテ・ポーヴェラ　戦後イタリアにおける芸術・生・政治』慶應義塾大学出版会，2016年.

今橋映子『フォト・リテラシー　報道写真と読む倫理』中公新書，2008年.

エラスムス，デジデリウス『平和の訴え』箕輪三郎訳，岩波文庫，1961年.

大内田わこ『ガス室に消えた画家　ヌスバウムへの旅』草の根出版会，2004年.

同『アウシュヴィッツの画家の部屋』東銀座出版社，2021年.

小川了『第一次大戦と西アフリカ　フランスに命を捧げた黒人部隊「セネガル歩兵」』刀水書房，2015年.

小倉孝誠『革命と反動の図像学』白水社，2014年.

オリゲネス『諸原理について』小高毅訳，創文社，1978年.

香川檀『想起のかたち　記憶アートの歴史意識』水声社，2012年.

加藤有子『ブルーノ・シュルツ　目から手へ』水声社，2012年.

河本真理『葛藤する形態　第一次世界大戦と美術』人文書院，2011年.

クレー，パウル『クレーの日記』南原実訳，新潮社，1961年.

関口裕昭『翼ある夜　ツェランとキーファー』みすず書房，2015年.

ソンタグ，スーザン『反解釈』高橋康也ほか訳，竹内書店新社，1971年／ちくま学芸文庫，1996年.

同『写真論』近藤耕人訳，晶文社，1979年.

同『他者の苦痛へのまなざし』北条文緒訳，みすず書房，2003年.

谷口江里也『戦争の悲惨　視覚表現史に革命を起した天才ゴヤの第二版画集』未知谷，2016年.

多木浩二『ベンヤミン「複製技術時代の芸術作品」精読』岩波現代文庫，2000年.

ちくま新書
1707

反戦と西洋美術

二〇二三年二月一〇日　第一刷発行

著者　岡田温司（おかだ・あつし）

発行者　喜入冬子

発行所　株式会社 筑摩書房
東京都台東区蔵前二-五-三　郵便番号一一一-八七五五
電話番号〇三-五六八七-二六〇一（代表）

装幀者　間村俊一

印刷・製本　株式会社 精興社

ISBN978-4-480-07529-1 C0270

ちくま新書

1287-1
人類5000年史Ⅰ
――紀元前の世界
出口治明
人類五〇〇〇年の歩みを通読する、新シリーズの第一巻、ついに刊行！ 文字の誕生から知の爆発の時代まで紀元前三〇〇〇年の歴史をダイナミックに見通す。

1287-2
人類5000年史Ⅱ
――紀元元年～1000年
出口治明
人類史を一気に見通すシリーズの第二巻。漢とローマ二大帝国の衰退、世界三大宗教の誕生、陸と海のシルクロード時代の幕開け等、激動の一〇〇〇年が展開される。

1287-3
人類5000年史Ⅲ
――1001年～1500年
出口治明
十字軍の遠征、宋とモンゴル帝国の繁栄など人や物の交流が盛んになるが、気候不順、ペスト流行にも見舞われる。ルネサンスも勃興し、人類は激動の時代を迎える。

1287-4
人類5000年史Ⅳ
――1501年～1700年
出口治明
征服者が海を越え、銀による交易制度が確立、大洋を舞台とするグローバル経済が芽吹いた。大帝国繁栄の傍らで、宗教改革と血脈の王政が荒れ狂う危機の時代へ。

1295
集中講義！ ギリシア・ローマ
桜井万里子
本村凌二
古代、大いなる発展を遂げたギリシアとローマ。これらの歴史を見比べると、世界史における政治、思想、文化の原点が見えてくる。学びなおしにも最適な一冊。

1335
ヨーロッパ 繁栄の19世紀史
――消費社会・植民地・グローバリゼーション
玉木俊明
第一次世界大戦前のヨーロッパは、イギリスを中心に空前の繁栄を誇っていた。奴隷制、産業革命、蒸気船や電信の発達……その栄華の裏にあるメカニズムに迫る。

1342
世界史序説
――アジア史から一望する
岡本隆司
ユーラシア全域と海洋世界を視野にいれ、古代から現代までを一望。西洋中心的な歴史観を覆し、「世界史の構造」を大胆かつ明快に語る。あらたな通史、ここに誕生！

ちくま新書

1377 ヨーロッパ近代史 君塚直隆

なぜヨーロッパは世界を席巻することができたのか。「宗教と科学の相剋」という視点から、ルネサンスに始まり第一次世界大戦に終わる激動の五〇〇年を一望する。

1400 ヨーロッパ現代史 松尾秀哉

第二次大戦後の和解の時代が終焉し、大国の時代が復活し、危機にあるヨーロッパ。その現代史の全貌を、国際関係のみならず各国の内政との関わりからも描き出す。

1550 ヨーロッパ冷戦史 山本健

ヨーロッパはなぜ東西陣営に分断され、緊張緩和の後は一挙に統合へと向かったのか。経済、軍事的側面にも注目しつつ、最新研究に基づき国際政治力学を分析する。

1636 ものがたり戦後史――「歴史総合」入門講義 富田武

既成の教科書にはない歴史研究の最新知見を盛り込みつつ、日本史と世界史を融合。二〇二二年四月から高校で始まる新科目「歴史総合」を学ぶための最良の参考書。

1655 ルネサンス 情報革命の時代 桑木野幸司

新大陸やアジア諸国から流入する珍花奇葉、珍獣奇鳥、玄怪な工芸品……。発見につぐ発見、揺らぐ伝統的な知。この情報大洪水に立ち向かう挑戦が幕を開けた!

1692 ケルトの世界――神話と歴史のあいだ 疋田隆康

日本でも人気の高いケルト文化。だが、その内実については激しい論争が展開されてきた。彼らは何者なのか?神話と歴史学を交差させ、ケルト社会の実像に迫る。

1694 ソ連核開発全史 市川浩

史上最大の水爆実験から最悪の原発事故、原発大国ウクライナの背景まで。危険や困惑を深めながら推し進められたソ連の原子力計画の実態に迫る、かつてない通史。

ちくま新書

994
やりなおし高校世界史
――考えるための入試問題8問
津野田興一
世界史は暗記科目なんかじゃない！　大学入試を手掛かりに、自分の頭で歴史を読み解けば、現在とのつながりが見えてくる。高校時代、世界史が苦手だった人、必読。

1082
第一次世界大戦
木村靖二
第一次世界大戦こそは、国際体制の変化、女性の社会進出、福祉国家化などをもたらした現代史の画期である。戦史的経過と社会的変遷の両面からたどる入門書。

1147
ヨーロッパ覇権史
玉木俊明
オランダ、ポルトガル、イギリスなど近代ヨーロッパ諸国の台頭は、世界を一変させた。本書は、軍事革命、大西洋貿易、アジア進出など、その拡大の歴史を追う。

1177
カストロとフランコ
――冷戦期外交の舞台裏
細田晴子
キューバ社会主義革命の英雄と、スペイン反革命の指導者。二人の「独裁者」の密かなつながりとは何か。未開拓の外交史料を駆使して冷戦下の国際政治の真相に迫る。

1206
銀の世界史
祝田秀全
世界中を駆け巡った銀は、近代工業社会を生み世界経済の一体化を導いた。銀を読みといて、コロンブスから産業革命、日清戦争まで、世界史をわしづかみにする。

1278
フランス現代史　隠された記憶
――戦争のタブーを追跡する
宮川裕章
第一次大戦の遺体や不発弾処理で住めない村。第二次大戦の対独協力の記憶。見捨てられたアルジェリアのフランス兵アルキ……。等身大の悩めるフランスを活写。

779
現代美術のキーワード１００
暮沢剛巳
時代の思潮や文化との関わりが深い現代美術の世界を、タテ軸（歴史）とヨコ軸（コンセプト）から縦横無尽に読み解く。アートを観る視点が100個増えるキーワード集。

ちくま新書

1135 ひらく美術 ——地域と人間のつながりを取り戻す　北川フラム
文化で地方を豊かにするためにはどうすればいいのか。約50万人が訪れる「大地の芸術祭　越後妻有アートトリエンナーレ」総合ディレクターによる地域活性化論！

1158 美術館の舞台裏 ——魅せる展覧会を作るには　高橋明也
商業化とグローバル化の波が押し寄せる今、美術館では想像以上のドラマが起きている。展覧会開催から美術品を巡る事件、学芸員の仕事……新しい美術の殿堂の姿！

1349 いちばんやさしい美術鑑賞　青い日記帳
「わからない」にさようなら！　1年に300以上の展覧会を見るカリスマアートブロガーが目からウロコの美術の楽しみ方を教えます。鑑賞の質が変わる画期的入門書。

1435 失われたアートの謎を解く　青い日記帳監修
ルーヴル美術館の名画盗難、ナチスの美術品略奪、ラスコー壁画の損傷……なぜ盗まれ、壊されたのか。被害の実際から修復までカラー図版や資料満載で徹底解説。

1441 ゴッホとゴーギャン〈カラー新書〉 ——近代絵画の軌跡　木村泰司
美術史のなかで燦然と輝く二つの巨星。二十世紀美術を準備した「後期印象派」を一望し、狂気と理性による創作の秘密を解き明かす。より深く鑑賞するための手引き。

1525 ロマネスクとは何か ——石とぶどうの精神史　酒井健
石の怪物、ねじれる柱、修道僧の幻視……天上の神を仰ぎつつ自然の神々や異教の表象を取り込み、過剰なエネルギーを発した、豊穣すぎる中世キリスト教文化。

1578 聖母の美術全史 ——信仰を育んだイメージ　宮下規久朗
受胎告知や被昇天などの図像、数々の奇蹟やお守り——祈りの対象にして、西洋美術史を牽引した聖母像、その起源や隆盛から衰退、変容までをたどる画期的な一冊。

ちくま新書

956
キリスト教の真実
——西洋近代をもたらした宗教思想
竹下節子
ギリシャ思想とキリスト教の関係を検討し、近代ヨーロッパが覚醒する歴史を辿る。キリスト教という合せ鏡をとおして、現代世界の設計思想を読み解く探究の書。

1048
ユダヤ教　キリスト教　イスラーム
——一神教の連環を解く
菊地章太
一神教が生まれた時、世界は激変した！「平等」「福祉」「不寛容」などを題材に三宗教のつながりを分析し、現代の底流にある一神教を読み解く宗教学の入門書。

1215
カトリック入門
——日本文化からのアプローチ
稲垣良典
日本文化はカトリックを受け入れられるか。日本的霊性と超越的存在の問題から、カトリシズムの本質に迫る。中世哲学の第一人者による待望のキリスト教思想入門。

1286
ケルト 再生の思想
——ハロウィンからの生命循環
鶴岡真弓
近年、急速に広まったイヴェント「ハロウィン」。この祭りに封印されたケルト文明の思想を解きあかし、古代ヨーロッパの精霊を現代へよみがえらせる。

1459
女のキリスト教史
——「もう一つのフェミニズム」の系譜
竹下節子
キリスト教は女性をどのように眼差してきたのか。聖母マリア、ジャンヌ・ダルク、マザー・テレサ……、世界を動かした女性たちの差別と崇敬の歴史を読み解く。

1481
芸術人類学講義
鶴岡真弓編
人類は神とともに生きることを選んだ時、「創造する種」として歩み始めた。詩学、色彩、装飾、祝祭、美術の観点から芸術の根源を問い、新しい学問を眺望する。

1281
死刑　その哲学的考察
萱野稔人
死刑の存否をめぐり、鋭く意見が対立している。「結論ありき」でなく、死刑それ自体を深く考察することで、これまでの論争を根底から刷新する、究極の死刑論！

ちくま新書

ちくま新書

265 レヴィ＝ストロース入門　小田亮（まこと）

若きレヴィ＝ストロースに哲学の道を放棄させ、ブラジル奥地へと駆り立てたものは何か。現代思想に影響を与えた豊かな思考の核心を読み解く構造人類学の冒険。

277 ハイデガー入門　細川亮一

二〇世紀最大の哲学書『存在と時間』の成立をめぐる謎とは？　難解といわれるハイデガーの思考の核心を読み解き、西洋哲学が問いつづけた「存在への問い」に迫る。

301 アリストテレス入門　山口義久

論理学の基礎を築き、総合的知の枠組をつくりあげた古代ギリシア哲学の巨人。その思考の方法と核心に迫り、知の探究の軌跡をたどるアリストテレス再発見！

533 マルクス入門　今村仁司

社会主義国家が崩壊し、マルクス主義が後退した今、マルクスを読みなおす意義は何か？　既存のマルクス像からはじめて自由になり、新しい可能性を見出す入門書。

589 デカルト入門　小林道夫

デカルトはなぜ近代哲学の父と呼ばれるのか？　行動人としての生涯と認識論・形而上学から自然学・宇宙論におよぶ壮大な知の体系を、現代の視座から解き明かす。

776 ドゥルーズ入門　檜垣立哉

没後十年以上を経てますます注視されるドゥルーズ。哲学史的な文脈と思想的変遷を踏まえ、その豊かなイマージュと論理を読む。来るべき思想の羅針盤となる一冊。

1229 アレント入門　中山元

生涯、全体主義に対峙し、悪を考察した思想家ハンナ・アレント。その思索の本質を『全体主義の起原』『イェルサレムのアイヒマン』などの主著を通して解き明かす。